変形菌ずかん

森のふしぎな生きもの

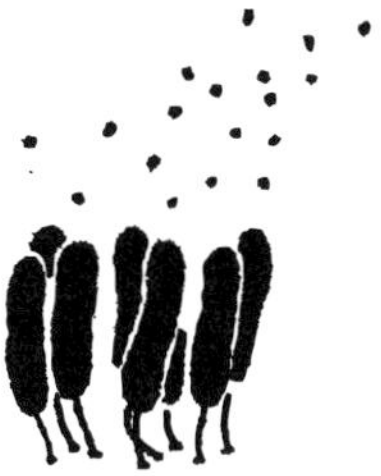

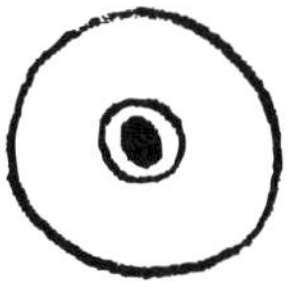

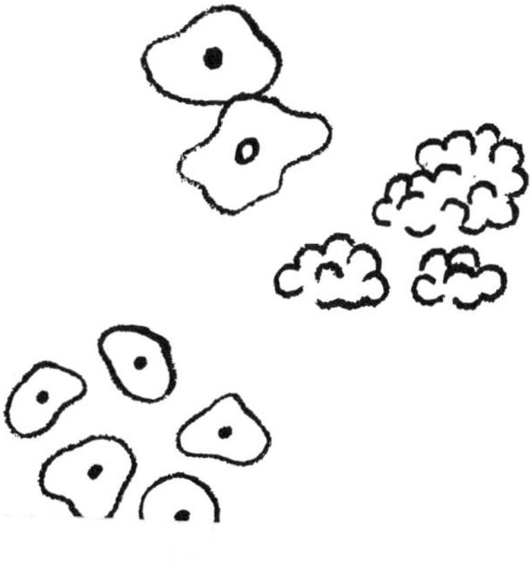

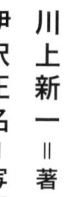

川上新一＝著
伊沢正名＝写真

平凡社

もくじ

3 見る　いろいろいるよ！　変形菌ずかん

4 楽しむ　おたのしみ的変形菌

はじめに

「変形菌《へんけいきん》」って聞いたことありますか？　では、「粘菌《ねんきん》」だとどうでしょう？　これらは、同じ生きものです。

変形菌は、その名のとおり「形」を「変」える「菌」です。それも、ちょっとしたものではなく、がらりとかたちを変化させます。また、色も変わります。そして、なんといってもその存在がふしぎです。

シダやコケのように胞子をつくるため、植物のようでもあり、アメーバのように動き回るので、動物のようでもある——。しかし、変形菌はそのどちらにも属しません。ふしぎで、魅力的な生きものなのです。

この本は、変形菌に接するのがはじめての方や、興味を持った方でも楽しく読めるよう、変形菌についていろいろなことをわかりやすく、やさしく書いてあります。また、変形菌には色やかたちがちがう、たくさんの種類がいるので、写真をながめるだけでも十分に楽しめる本になっています。

変形菌も含め、自然のものは変異があるので、実際に見たときとはちがいがあるかもしれません。しかしこの本では、変形菌によくあることや標準的なことを掲載しているので、変形菌を見つけるときの指標になればと思っています。

この本を手掛かりに、変形菌と親しみ、探しに行きたい！　と思ってもらえたらうれしいです。

1 知る

どんな生きもの？　変形菌《へんけいきん》

不明種（変形体）

変形菌って何？

変形菌はおもに森に住んでいます。どんな生きものかって？
それはもう小さくて、色とりどりで、かたちが変化して……。

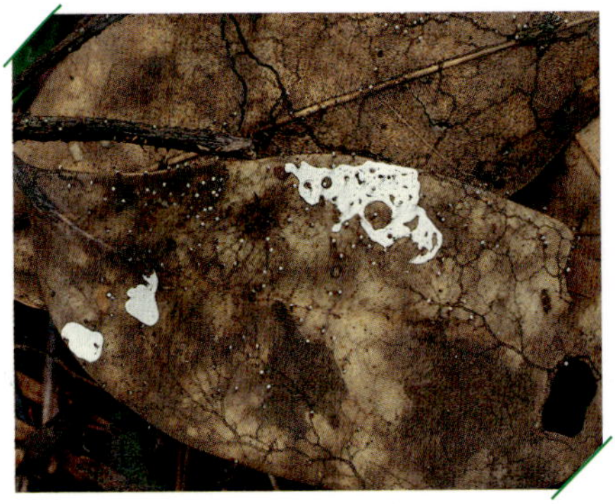

小さい！

大きくなる種類も中にはありますが、とにかく小さい種類が多いのです。よく目をこらして。

かたちが大きく変わる！

ときには網目状になって動いたり、柄《え》があってその上に真ん丸な頭をつくったり……。この大きな変化が数時間で行われます。

色とりどり！

変形菌の色は、黄色だったり、白だったり、赤、青、茶、真っ黒、金属光沢のあるものだっているんですよ。

小さい！　色とりどり！　かたちが変わる！
変形菌を知るための３つのポイント

森にいる変形菌を見つけることは難しいかもしれません。それはとても小さいから。変形菌が「変形体《へんけいたい》」と呼ばれるアメーバ状態のときは、大きくて目立つ色だと見つけやすくなります。しかし「子実《しじつ》体《たい》」と呼ばれる胞子《ほうし》がつくられた状態のときは、とても小さくて目をこらさなければ見つからない場合が多いのです。特徴はほかにもあります。それは、変形体や子実体の色が黄、赤、青、白などさまざまなこと。ビビッドだったり、幻想的だったりします。そして、最大の特徴は、姿かたちが変わるということ！　変形菌は一生のうちで大きく変わるほか、数時間でもちがうかたちになってしまいます。これらが変形菌を語る上で欠かせない特徴といえます。

動物？　植物？
何ものなの？　変形菌

変形菌はアメーバになって動く一方、キノコのように胞子をつくります。そのことから、かつて動物学者からは原生動物《げんせいどうぶつ》、植物学者からは菌類《きんるい》として扱われました。その後、変形菌は五界説《ごかいせつ》（生物分類体系の一つ）の「プロチスタ界」に分類されます。プロチスタ界とは、単細胞生物《たんさいぼうせいぶつ》で構成され、運動能力のある生きものも葉緑素《ようりょくそ》を持つ生きものも含まれ、動物、植物、菌類の定義から外れた真核生物《しんかくせいぶつ》（細胞《さいぼう》核《かく》を持つ生きもの）がひとまとめにされているグループです。最近の研究により、プロチスタ界は複数のグループにわかれ、変形菌はその中の「アメーバ動物」というグループに入ることがわかってきました。それは、動物、植物、菌類ともちがう新たなグループなのです。

変形菌の一生

胞子から小さなアメーバに、のちに大きなアメーバ（変形体）になり、やがてキノコのようなかたちになって胞子をつくります。

未熟《みじゅく》子《し》実体《じったい》

未熟子実体は見た目がつややかでうるおいがある感じです（→p.18）。

成熟した子実体

胞子がつくられ、子実体が乾燥すると、成熟した子実体のできあがりです。ちなみに、胞子がつくられる際に染色《せんしょく》体《たい》は一倍体《いちばいたい》になります。

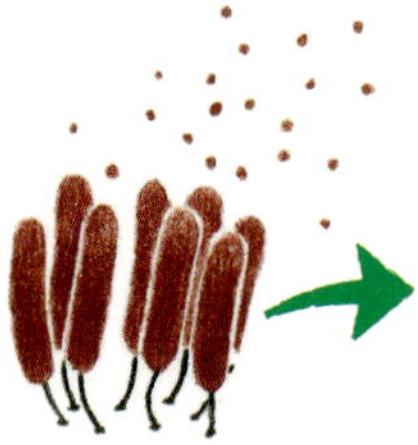

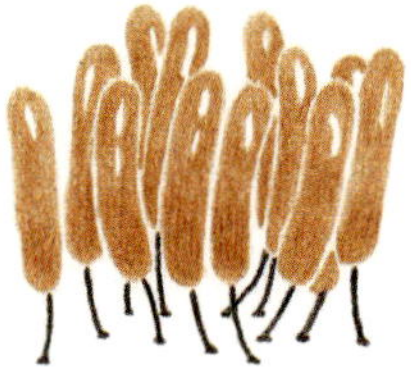

子実体形成

変形体が十分に成長すると、湿度や気温などの変化を敏感に感じて、子孫を増やす行動に移ります。胞子をつくるのに適した場所に移動し、たくさんの小さなかたまりにわかれ（わかれない種類もある）、やがて胞子がつまった「子嚢《しのう》」と呼ばれる袋状のものをつくります。それが子実体です（→p.16）。

休眠体《きゅうみんたい》（菌核《きんかく》）

変形体は、急激な気温の低下や乾燥などにより、「このままでは生きていけない！」と危機感を感じるようです。そんなとき、変形体の中にたくさんの仕切りができて、全体に厚い壁をつくり、活動を停止します。この冬眠しているような状態を「休眠体（菌核）」と呼んでいます（→p.15）。環境が改善されれば、目を覚まして変形体に戻り、活動を再開します。

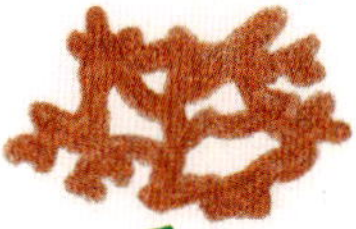

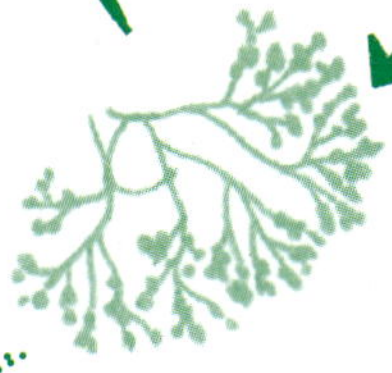

変形体

変形体が成長する間、奇妙なことに細胞は分《ぶん》裂《れつ》せず、その中で核だけが分裂を繰り返していきます。染色体のセットは二《に》つの状態（二倍体《ばいたい》）です。

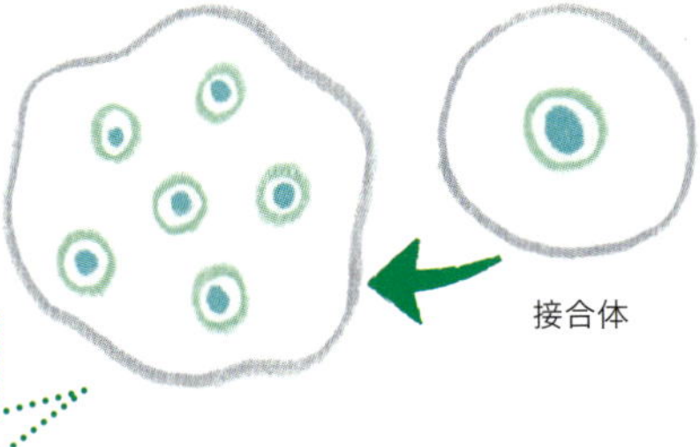

接合体

若い変形体

接合体《せつごうたい》はバクテリアや接合《せつごう》していない粘菌アメーバなどを食べて成長します。やがて変形体と呼ばれる大きなアメーバになります。

胞子

胞子（直径10μm前後の球形）はおもに風に飛ばされ、好条件の場所で発芽します（→p.20）。

発芽《はつが》

水分を吸い厚い膜が破れると、自由にかたちを変えられるアメーバ状の細胞があらわれます。これを「粘菌《ねんきん》アメーバ」と呼びます。

粘菌アメーバ

粘菌アメーバ（大きさ10μm程度）はバクテリアを食べて増殖します。ときに水分が多い環境では２本の「べん毛」と呼ばれる、むち状のものをつくり、それを進行方向に向けて泳ぎます。しかし、泳ぎはあまりうまくありません。

休眠体（シスト）

粘菌アメーバは環境が悪化すると、細胞のまわりに厚い膜をつくって一時的に活動を休止します。この状態のものをとくに「シスト」と呼びます。

分裂

粘菌アメーバはバクテリアを食べ、同じ大きさの二つの細胞に分裂して増えていきます。

分裂を繰り返す

粘菌アメーバは分裂を繰り返し、どんどん増えていきます。その間、染色体のセットが一つしかない状態（一倍体）です。人間にたとえると、精子や卵子と同じ染色体の状態にあります。

接合

性別のちがう粘菌アメーバの細胞が出会うとくっつきます。人間にたとえると結婚でしょうか!?　引き続き二つの核がくっつき、この状態の細胞を「接合体」と呼びます。ちなみに、性がいっぱいあったり、性が一つしかなかったりする種類も見つかっています！

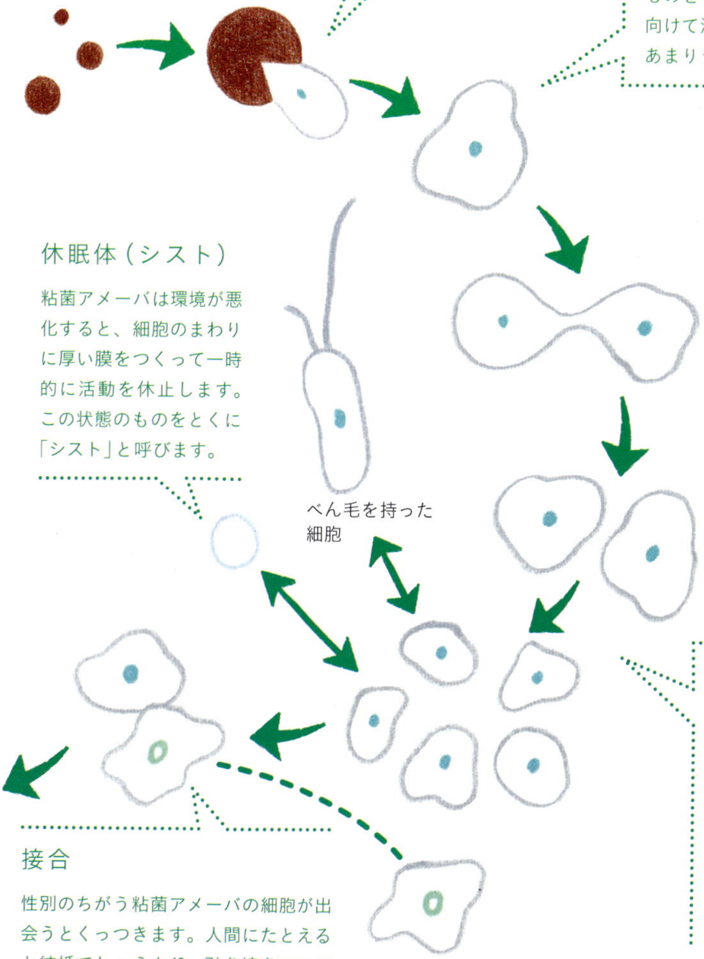

かたち、色、いろいろ！ 変形体

変形体は自由自在にかたちを変えます。また、種類によって色がちがったり、環境によって色を変えたりすることがあります。

変形体は かたちを変えて動き、切っても死なない！

　変形体は、粘菌アメーバが接合体になり成長したものです。植物やキノコとはちがい、動物のように自由に動きまわります。植物やキノコの細胞は細胞壁《さいぼうへき》を持つので、細胞のかたちを自由に変えられませんが、変形体は細胞壁がないため（動物と同じ）、体のかたちを自由に変えられます。また、変形体はナイフで切っても死にません。切断されても切り口を修復して、再びそれぞれが成長します。反対に遺伝的に同じ変形体同士が出会うと、融合して一つになります。

百菌繚乱《ひゃっきんりょうらん》!? の変形体

　変形体の大きさは種類にもよりますが、だいたい数cmから数10cmです。多くの変形体は網目状になるのですが、種類によって異なります。全体を覆っている粘膜《ねんまく》は、外敵から身を守り体の乾燥を防ぎます。色は実にさまざまで、透明、白色、灰色、クリーム色、黄色、オレンジ色、褐色、赤色、紅色、緑色、紺色、黒などもいます。とくに、白色や黄色系が多いようです。種類によって色はほぼ決まっていますが、環境条件で変化が見られることもあります。ある実験によると、酸性かアルカリ性かでまったくちがう色に変わる種類が見つかっています。

キフシススホコリの変形体です。見事に扇状に広がっています。

ウルワシモジホコリの変形体です。鮮やかな紅色です。

ジクホコリの変形体です。湿った落ち葉にまとわりついています。

マルナシアミホコリの変形体です。深い紺色をしています。

不明種の真っ黒な変形体です。イカ墨が網目模様を描いたみたい。

移動する変形体

多くの種類の変形体は梅雨時に活発に成長し、成熟すると、
環境の変化を感じて倒木《とうぼく》や落ち葉などの表面に移動します。

動きはゆっくりだけど細胞の中身の動きは激しい

変形体の移動は時速数cm。動きはゆっくりですが、細胞の中身(細胞質《さいぼうしつ》または原形質《げんけいしつ》)は激しく動き(流れ)ます。これは「原形質流動《げんけいしつりゅうどう》」という現象です。その速さは秒速1mmを上回ることも。流れる方向は1～2分で逆になります(モジホコリの場合)。また、原形質が液化したり、固くなったりを繰り返すことで前進します。この運動には、動物の筋肉と同様、たんぱく質が関わっています。

生きた木の幹を上に上にと動いていきますが……「やっぱりやーめた！」という感じでしょうか？　戻ってきてしまいました。

倒木の上を右へ右へと移動するホネホコリのなかまの変形体。よく見ると、這《は》ったあとが黒く残っています。これは、粘液質とともに、老廃物《ろうはいぶつ》を捨てたあとです。

子実体に変身前の変形体

変形体が移動をやめると、そのかたちはくずれ、一つのかたまりになったり、いくつものかたまりにわかれたりします。これが子実体になる前ぶれです。

まだまだ変形体のホネホコリのなかま。後ろのほうはまだ網目状のままです。

網目状のススホコリの変形体。あちこちに、小さなかたまりができてきました。その部分が子実体をつくりはじめているところです。

眠る！ 変形体

変形体は「生活環境が合わない！」と感じると眠ってしまいます。
眠った変形体はつやがなく、もろいビスケットのように固まります。

割った腐《ふ》朽《きゅう》木《ぼく》の中に眠っている変形菌を発見。寒かったり、暑すぎたり、乾燥しすぎたりすると、このような場所に逃げ込み、固まって動かなくなります。この状態を休眠体（菌核）といいます。環境が改善されると目覚め、変形体に戻ります。

休眠体は、冷めたチーズのようにも見えますね。倒木の下側や、積もった落ち葉の中、腐朽木の中などが変形菌の寝床です。そーっと寝顔をのぞいてみましょう。

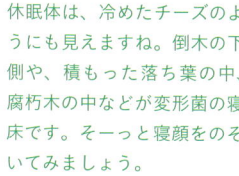

神秘的！ 子実体形成

変形体が子実体に変わるイベント、それが「子実体形成」です。
その神秘的な様子をクサムラサキホコリで見てみましょう。

まだ網目状の変形体です。

子実体形成のために落ち葉の上まで這い出てきました。

20：30　ほとんど子実体のかたちができてきました。

22：00　かたちができあがると、次に色が変わりはじめます。

23：30　胞子の成熟が進むにつれて、色が濃くなっていきます。

きっかけは
湿度・温度の変化!?

多くの変形菌が子実体をつくりはじめるのは、梅雨も終わりにさしかかり、晴れ間が増えるころ。子実体形成のきっかけは、湿度、温度、そして明るさの変化が関係していると思われます。変形体が小さなかたまりにわかれ子実体になるまでは、だいたい24時間以内です。

16：00　一つ一つの子実体になるかたまりにわかれ、いよいよ子実体形成スタート！

17：30　子実体の基となる、小さな丸いかたまりです。

19：00　子実体の基ができると、細長く伸び上がってきます。このとき、柄もできます。

1：00　ますます色が濃くなり、チョコレート色になりました。

8：30　朝には胞子が成熟し、色が真っ黒に変わっていました。

昼になると太陽の光を浴びて乾燥し、胞子を飛ばす準備ができました。

つやつや、しっとり、みずみずしい 未熟子実体

未熟な子実体はとてもつややかで、みずみずしさがあります。
胞子が熟すまで日陰でひっそりと過ごす姿は、とても魅力的です。

みずみずしく
鮮やかな色、輝き

変形体から変化して、成熟した子実体と同じかたちになっているけれども、まだ胞子が熟していない若い子実体を「未熟子実体」と呼びます。未熟子実体は、みずみずしい透明感や色の鮮やかさが、心もうるおうような印象です。ところが、胞子が成熟し、体が乾いてしっかりとした子実体となると、みずみずしさや鮮やかな色は失われます。しかし、未熟なときとはちがった質感や色が楽しめます。どのように変わるか57ページからはじまる「3.見る　いろいろいるよ！　変形菌ずかん」と見比べてみましょう。

胞子が成熟する前のクダホコリです。この種類はゆっくり成熟します（成熟《せいじゅく》子実体は→p.70）。

ウツボホコリの未熟子実体。今は黄色の姿をしていますが……（成熟子実体は→p.72）。

若いヘビヌカホコリの子実体です。白から黄色に色が変化したところ（成熟子実体は→p.76）。

つやつやしたマメホコリの未熟子実体です。つぶすとオレンジ色の粘液が……（成熟子実体は→p.71）。

胞子形成前のダテコムラサキホコリ。成熟するにつれて、色がだんだん暗くなります。また、足元の膜に注目！（成熟子実体は→p.109）

鮮やかな黄色をしたヨリソイフクロホコリは、成熟子実体になるとつぶつぶが際立ちます（成熟子実体は→p.93）。

つるんとして真ん丸なホソエノヌカホコリの若い子実体です。柄に透明感があります（成熟子実体は→p.77）。

キラボシカタホコリには「ちがう帽子をかぶったの？」というような変化が見られます（成熟子実体は→p.98）。

胞子を飛ばすよ！　子実体

子実体は子孫を残すために、体の中にたくさんある胞子を遠くへ飛ばします。より遠くへ、より広い範囲に。

イリマメムラサキホコリが胞子を飛ばしています。大量に飛んでいるのがわかります。

袋にたくさんの胞子をつめて

子実体のつくりはほとんどの種類で共通しています。子実体の全体または一部は、たくさんの胞子をつめこんだ袋のようになっています。この胞子の入っている袋全体を「子嚢」、子嚢の外側の膜を「子嚢壁《しのうへき》」といいます。子実体の足元には膜状の「変形膜《へんけいまく》」があり、これが子実体を基物《きぶつ》（発生しているもの）に固定する役目を担います。子嚢壁の中をのぞいて見ると、多くの種類で胞子とともに「細毛体《さいもうたい》」という極細の糸のようなものが見られます。また、この子嚢に柄があるものと、柄がないものがあります。

ヒョウタンケホコリの子実体です。子嚢の表皮が破れ、胞子と細毛体のかたまりがフワッとなっているのがわかります（写真左側）。

ウツボホコリの子実体です。子嚢の中で圧縮されていた細毛体が伸び出し、風が吹くと細毛体がゆれます。こうした一連の過程で胞子が飛ばされます。

クロアミホコリの胞子は、網目のある丸いカゴから風によって飛ばされます。

子孫を残すためなら命がけ!?

子実体となった変形菌は胞子を飛ばすために、いろいろな工夫をしています。ススホコリは大木や電柱などの高いところに子実体をつくったり、カタホコリのなかまの変形菌やウリホコリは生きている植物の茎や葉の上にびっしりと子実体をつくったり……。ほとんどの種類の変形菌が、変形体として生活していた場所よりも高いところに移動し、少しでも風を利用して、より遠くへ胞子を飛ばそうとしているのです。ちなみに、変形菌の名前が「○○ホコリ」と呼ばれるのは、風に飛ばされる胞子が「ほこり」のように見えたからです。

変形菌、もぐもぐ食べる！

変形菌はいろいろなものを食べます。変形菌の好物は、バクテリア、カビ、キノコ……。加工品ですが、オートミールも大好きです。

食べるときは手じゃなく足で!?

変形菌が食べるという行為をするときは、粘菌アメーバのときと変形体のとき。これらアメーバ状の細胞は食べ物にぶつかると、手ではなく「仮足《かそく》」という部分を出して食べ物を食べています。「仮足」は、実際には手でも足でもありません。食べ物をつかむと、体内に引き入れるようにして食べます。食べ物を包み込んだ袋のような部分を「食胞《しょくほう》」といい、これは人間の胃と同じです。食胞の周囲から酵素を分泌し食べ物を消化、栄養を吸収します。食胞は移動して、外側に開き、消化できなかったバクテリアの細胞壁などや老廃物を体の外へ出します。これが、排泄《はいせつ》行為です。人間のように決まった口や胃はありませんが、どの部分でも口や胃になります。

食べ物によって食べ方を変える!?

粘菌アメーバの好物はバクテリア、変形体はバクテリアやカビ、酵母《こうぼ》です。また、キノコが好きな種類もいます。変形体を飼っている人は、オートミールをえさにしています。ちなみに、キノコやオートミールから栄養をとる場合は、体外に消化酵素《しょうかこうそ》を出して、ある程度分解されたものを体内に取り込んでいるようです。

シロキクラゲのなかまを食べるイタモジホコリの変形体。だれにもとられないように、抱えこむようにして食べています。

栽培しているナメコを食べるブドウフウセンホコリの変形体。ブドウフウセンホコリの別名はキノコナカセホコリ。その名のとおり、キノコ泣かせ。キノコ栽培の害菌としても知られています。

イタモジホコリの変形体がオートミールを食べています。変形菌にも好みのメーカーのものがあるとかないとか。

写真：川上新一

ひぇ〜！　変形菌、食べられる

変形菌はいろいろなえさを食べますが、反対に食べられてしまうこともあるのです。これぞまさしく食《しょく》物《もつ》連《れん》鎖《さ》です。

虫やカビに狙われている!?

子実体を狙っている森の住人は虫やカビ。強敵はマルヒメキノコムシです。この虫は幼虫も成虫も変形菌の子実体しか食べません。また、ほかの小さな甲虫、トビムシのなかまやダニのなかまなどの中に子実体を食べるものがいます。しかし、変形菌はただ食べられているだけではなく、胞子を運んでもらっています。とくに、腐朽木でしか生きていけない種類は、胞子が雨で流されてしまうより効率的に子孫を残せるのかもしれません。また、子実体をつくることができても、雨や霧などでジメジメとした状態にさらされるとカビに侵されてしまいます。

虫

トビムシの幼虫が、ケホコリのなかまの未熟子実体の中身をチューチューと吸っています。子実体が凹んでしまっている様子がうかがえます。

カビ

黄色い子実体から白いマッチ棒のようなものがにょきにょき。この白い棒が実はカビのなかまなのです。

モジホコリのなかまの子実体が、カビに白く覆われてしまっています。

ムラサキホコリのなかまを食べているマルヒメキノコムシです。食べることに夢中になりすぎて、胞子まみれになっています。ハチが、花の蜜を一生懸命に集めているときに花粉まみれになるのと似ていますね。

変形菌の役割・人との関わり

変形菌の自然界での役割とはどのようなことなのでしょうか？
また、変形菌が人間に与えてくれる恵《めぐ》みについて考えてみます。

変形菌が
「分解者《ぶんかいしゃ》」を食べる理由

　変形菌の粘菌アメーバはおもにバクテリアを食べます（→p.22）。大きな変形体になると、それに加えカビや酵母、ときにはキノコといった菌類も食べてしまいます。これらの生きものは、植物や動物の死骸《しがい》を分解して土に還《かえ》す役割を持つ「分解者」です。変形菌はおもにそれらを食べているのです。

　ここで、変形菌のような「分解者」を食べる生きものがまったく存在しない世界を想像してみましょう。

　変形菌のような「捕食者《ほしょくしゃ》」がいないと、バクテリアや菌類は食べられる恐れがないので、すごい勢いで増えます。そうなると、落ち葉や倒木、動物の死骸などは今よりもずっと速いスピードで腐り、分解されます。落ち葉や倒木を棲《す》み家《か》にしている生きものは、生活の場を失うことに……。また、落ち葉や倒木が少なくなることで、森の保水効果は弱まり、やがて土壌の乾燥化がはじまります。乾燥した土壌は、雨が降れば栄養分とともに流出します。そうなると、森は崩壊の一途をたどります。人間が森を歩くには邪魔なものが少なくて快適でしょうけれど、そんなのんきなことはいっていられない

事態に陥ってしまうのです。変形菌がいない世界は怖いです。

このように変形菌は、バクテリアや菌類といった「分解者」を食べることによって、落ち葉や倒木の分解のスピードを抑えるという役目を担っているのです。このことで、森の生態系のバランスが保たれると考えられます。もちろん変形菌だけでなく、ほかの粘菌類や線虫《せんちゅう》なども一役買っていることでしょう。あくまで想像ですが、植物や動物に害を与えるようなバクテリアやカビを変形菌が食べることにより、恩恵を得ている植物や動物がいるかもしれません。

変形菌が
食べられる本当の意味

それでは、「変形菌が食べられる」ということから、どういう役割が見えてくるのでしょうか？

変形菌の子実体は、小さな昆虫類やトビムシ類などに食べられたり、カビに侵されたりします。特殊な共生関係を持つ生きものも含め、これら小さな生きものたちを育んでいる生きものの一つが、変形菌なのです。変形菌も生態系に組み込まれている以上、分解され、土に還る定めにあります。そして、これら変形菌を食べる小さな生きものもまた、別の生きものによって食べられるということも当然

起こります。いわゆる、「食物連鎖」の一部なのです。

ほかには、変形菌などのアメーバ類が、植物に窒素を供給していると考えられる研究結果が得られています。また、変形菌は窒素以外にもミネラルを取り込んで、体内に保持しています。たとえば、モジホコリやカタホコリなどの子実体に見られる白っぽいつぶつぶの主成分は「炭酸カルシウム」です。カルシウムはアメーバ運動に必要ですが、それがやがて土壌や腐朽木に溶け込み、再び変形菌を含めたさまざまな生きものに利用されることになります。変形菌はこうした「物質循環《ぶっしつじゅんかん》」の役割も担っています。

粘菌類の重要性とは

こうした食べたり、食べられたりすることはミクロな世界で絶えず起こっているのですが、われわれ人間にはピンときません。しかし、「食物連鎖」や「物質循環」に関わるエネルギー量というのは、地球全体で考えると、とてつもない量になります。また、ある研究報告によると、土壌中の原生生物の多くはアメーバ様生物であり、その中でも粘菌類が過半数を占めているそうです。これらのことから、いかに変形菌をはじめとする粘菌類が地球上で確固たる重要な地位

を築いているかが想像できるでしょう。

ほかの見かたからも変形菌の自然界での役割を論じることができるかもしれません。というのも、土壌中や腐朽木中の生態についてはわからないことがまだまだたくさんあるからです。みなさんもぜひ、いろいろと思いを巡らせてみてください。

変形菌が人間にもたらしてくれるありがたいこと

変形菌は人間に、どんな恩恵をもたらしてくれているのか考えてみましょう。もちろん生態系のバランスが保たれることは、人間にとってもメリットがあるのは明らかです。さらに、変形菌から新たな物質を見つけ、それが薬にならないかという研究が行われていますし、変形体の合理的な動きを利用した研究などもなされています(→p.110)。これらの研究はもちろん、人間に“実利的な”恩恵をもたらす可能性があります。その一方で、この本のテーマでもある「変形菌と親しむ」ことが“精神的な”恩恵にもつながっていくものと考えます。ときどき、農業において迷惑をかけることもある変形菌ですが、うまくつき合っていくことができるはずです。そして、「癒し系」微生物として存在し続けてほしいと願っています。

COLUMN ①

変形菌を発見！　採集！　研究！
変形菌の魅力にとり憑《つ》かれた人たち

変形菌の魅力にとり憑かれた国内外の研究者を紹介します。
どなたも変形菌のパイオニアです。

生きる百科事典
南方熊楠《みなかたくまぐす》

1867年和歌山県生まれ、1941年没。変形菌に関する功績は、日本産変形菌目録や、変形菌の色に関する論文を書いたこと、新種《しんしゅ》を見つけたこと、昭和天皇に変形菌を献上《けんじょう》したことなどたくさんあります。

19歳のころアメリカに渡り、学校に入ったものの読書と植物採集ざんまい。その後イギリスに渡り、毎日のように通っていた大英博物館で「働かないか」と誘われるも、自由がなくなるのは嫌だと断るなど、どこに行ってもマイペースで自由奔放な熊楠。帰国後は、隠花植物とともに変形菌を採集、その研究に没頭します。

変形菌にまつわるエピソードは、1910年に起きます。このころ神社合祀《じんじゃごうし》反対運動をしていた熊楠は、それを推進する県役人に会おうと、県役人が出席する講習会に出向きますが、会うことを阻止されます。頭にきた熊楠は、講習会の会場に菌類の入った袋を投げ込みます。このことで家宅侵入罪に問われ、拘置所に収監。しょげているかと思いきや、拘置所でめずらしい変形菌を発見し、無罪釈放となっても「もう少しここにいさせてほしい」といったというエピソードが残っています。

1917年には、和歌山県田辺の自宅にあった生きた柿の木から、新種の変形菌を見つけます。学名は「ミナカテラ・ロンギフィラ」（和名は「ミナカタホコリ」）。この学名は「南方の長い糸」という意味です。この当時は、生きた木に発生する変形菌がめずらしく、画期的な発見と、評価が高かったそうです。

日本変形菌の父

田《た》中《なか》(市《いち》川《かわ》)延《のぶ》次《じ》郎《ろう》

1864年東京生まれ、1905年没。日本人ではじめて「変形菌」という言葉をつくり、変形菌について記載した人物といわれています。日本の「変形菌の父」といっても過言ではありません。

1888年、『植物学雑誌』に「一種の変形菌の生存期限」「一種の変形菌の発生実験記」というタイトルで論文を発表します。その論文の中ではじめて、「変形菌」という言葉を使いました。この論文を書くきっかけは、友だちにもらった菌でした。田中は当時、ほかの研究で忙しく、菌を見るひまがありませんでした。そのため、鉢にもらった菌と水を少し入れ、ガラスのフタをして放っておいたのです。2、3日後にその鉢をのぞくと、「小さき留め針のごときもの(長さ約5mm)」が! 性質やかたちなどから、それが変形菌だとわかったのだそうです。

研究熱心なエンペラー

昭《しょう》和《わ》天《てん》皇《のう》

1901年生まれ、1989年没。昭和天皇は、皇居の赤坂離宮内苑や栃木県・那須、神奈川県・逗子などで変形菌を採集しました。

昭和天皇は新種(新変種含む)としてミカドホネホコリ、ナスフクロホコリなど8種を、日本新産としてチョウチンホコリ、カワリモジホコリなど5種を発見しました。

1929年に新種の変形菌を発見されたときは新聞で大きく取り上げられました。

また、南方熊楠とのエピソードが残されています。熊楠は、キャラメルの空き箱に変形菌を入れて昭和天皇に献上しました。昭和天皇はそのことをたいそうおもしろがり、そのお礼に練り菓子と干し菓子を贈られたのだそうです。「練り」という言葉に、粘りをイメージしませんか? 粘りといえば変形体!? 妄想がふくらむエピソードです。

COLUMN ①

トスカーナ大公のお抱え植物学者

ミケリ Pier Antonio Micheli

1679年イタリア・フローレンス生まれ、1737年没。家が貧しく、十分な教育を受けることができませんでしたが、独学でラテン語を習得します。また、植物に詳しく、イタリア中部のトスカーナ大公のお抱え植物学者に任命され、植物園の管理もしていました。

変形菌に関する偉業は、胞子が発芽、成長することを発見したことといわれています。1729年に本を出版。そのタイトルは『植物の新属、トールヌフォールの方法で配列され、1900の植物が扱われ、そのうち1400は、今まで観察されたことがなく、ほかの植物は自生地に言及され、菌、カビ、そして類似植物の園芸、起源、栄養に関する追加記事と観察を付す』です。この本で、変形菌の正確な図を掲載し、ヤニホコリのなかまの変形体と思われるものを記述しています。

近代菌学の祖

ド・バリ Heinrich Anton de Bary

1831年ドイツ・フランクフルト生まれ、1888年没。医者の資格を取り、故郷で短い期間開業したあと、チュービンゲン大学の植物学講師になりました。その後、いくつかの大学で教授を務め、のちに大学の総長にまでのぼりつめます。

「近代菌学の祖」といわれるド・バリは、現代の変形菌分類学のパイオニアでもありました。

ド・バリは、『粘菌』(1859年)と『菌、地衣、粘菌の形態学と生理学』(1866年)という2冊の本を著しました。その2冊の本の中で、変形菌を明確に真菌類《しんきんるい》と区別しています。

さらに、変形菌の胞子を培養して、べん毛を持つ細胞、粘菌アメーバ、変形体、そして子実体に至るまでを観察しました。その観察の詳しい内容を記載したものが残されています。

② 探す

森へ探しに！　変形菌《へんけいきん》

ススホコリ（変形体）

変形菌を探しに行こう！

変形菌探しに森へ出かけませんか？
小さくて見つけるのが難しそうですが、宝探しのつもりで。

いつ、どこで、どのようにあらわれるの!?

多くの種類の変形体《へんけいたい》は、高温多湿の梅雨時に成長します。そして、梅雨が明けて晴れ間が増えてくるころ、子実体《しじつたい》をつくりはじめます。また、雪解けの時期や秋につくる種類もいます。一方、気温が低い冬は苦手です。変形菌が見つかりやすい場所は、腐りつつある倒木《とうぼく》、落ち葉、枯れ草などです。変形体は手のひらくらいの大きさのものがあるので比較的見つけやすいですが、子実体となると小さなものが多くて、肉眼で見つけるには厳しい場合もあります。10〜20倍のルーペがあれば判断しやすくなります。見つけたと思ったら、カビ、虫の卵や糞だったなんてこともあるので、よく見てみましょう。また、小さいのでうっかり踏んでしまわないように気をつけて。

変形菌の気持ちになるのは難しいけれど……

変形菌の気持ちになって探せばよいのですが、長年変形菌とつき合っている研究者やセミプロでも、なかなか変形菌の気持ちがわかるわけではないのです。ですから観察会で、そうしたベテランの方があまり見ないような場所から、初心者が見つけることもよくあります。だからこそ変形菌探しはおもしろいのです。まず、先入観にとらわれずできるだけ広い範囲に目を向けてみましょう。

森に持っていくもの

変形菌を探すのに必要な道具を、用途にわけて3点セットにしました。

基本の観察セット

この本

ぜひ、おともさせてやってください。どんな変形菌か、ある程度調べることができます。

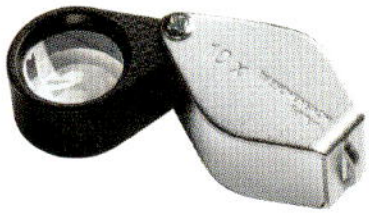

ルーペ

10〜20倍のものがおすすめです（→p.43）。

画像提供：株式会社 エッシェンバッハ光学ジャパン

メモ帳＆ペン

いつ、どこにいたかやスケッチなど、観察記録をつけましょう（→p.44）。

採集セット

空き箱（標本箱）

空き箱や標本箱につめて、変形菌の宝石箱をつくりましょう（→p.50）。

ハサミ・カッター・ヘラ

これらの道具で変形菌を切り取ったり、こそげ取ったりします。

木工用ボンド

変形菌を箱に固定させるために使います。

撮影セット

カメラ

写真におさめます。スマートフォンのカメラ機能でも○。

レジャーシート

撮影時には服を汚さないように、疲れたときには休憩用に。

アルミホイル

レフ板（光を反射させ、影を明るくする道具）代わりに。

こんなところに！ 変形菌

変形菌は、腐りかけの倒木や落ち葉から野菜やゴミの中にも。よく見かける場所を知っておくと、探しやすくなります。

居場所は好物の近く!?

変形菌をよく見かける場所は、腐りかけている倒木や落ち葉、枯れ草などです。それは変形菌の好物が、死んだ植物を分解するバクテリアや菌類だから。探すときはそのあたりをよく見てみましょう。ここでは、発生環境と基物《きぶつ》（発生しているもの）にわけて紹介します。

切り株にいるよ！

切り株にいるススホコリです。切り株と似た環境だと、登山道にある木製の橋や丸太を使った木道などにもいることがあります。このような場所を「変形菌（粘菌《ねんきん》）の小道」と呼んでいる変形菌ファンもいます。

植物にぶら下がってるよ！

生きた植物にくっついているカタホコリです。葉っぱの裏側や茎などにしずくのようについています。まるで変形菌のアクセサリーを身につけているみたいです。

雪の下からこんにちは

雪どけにあらわれたアイルリホコリ。春から夏にかけ、雪がとけつつある場所の枯れ草や枯れ枝、生きた葉っぱ、小枝にいます。このような場所にいる変形菌を「好雪《こうせつ》性変形菌《せいへんけいきん》（粘菌）」といいます。

発生環境!!

発生する環境はさまざまです。たとえば、生きた植物でも、死んだ植物でも、冷たい雪の中にもいます。

しいたけのほだ木に

しいたけのほだ木にいるマンジュウドロホコリ。古いしいたけのほだ木は変形菌にとって最高の場所。変形菌もキノコも、適度に湿気があり、日陰《ひかげ》で風通しのよいところが好きなのです。

いろいろな基物に発生!!

変形体にとっては、あまり陽《ひ》のあたらないジメジメとした場所がよいのですが、子実体をつくる際には、ある程度風通しがいい場所に移動します。そのような環境を探すと見つかる可能性大！

広葉樹《こうようじゅ》の落ち葉にいるよ！

広葉樹の枯れ葉にいるウリホコリ。積もった落ち葉の下部分に湿り気があり風通しがいいと、子実体をつくります。林縁《りんえん》（森林の草地に接するところ）や山につくられた道路脇の落ち葉が集まったところが狙い目です。

針葉樹《しんようじゅ》の落ち葉にいるよ！

針葉樹の枯れ葉にまとわりついているカタホコリのなかまです。変形菌がスギの葉を覆っているので、こんな白い葉っぱの針葉樹もあるのかな？と勘違いしてしまいそうです。

倒木にくっついているよ！

倒木にくっついているヘビヌカホコリです。腐《ふ》朽《きゅう》が進んだ倒木では多くの変形菌が、また、大きな倒木だと複数の種類が見つかりやすいです。雨の日でも倒木の裏側で子実体が見つかることも。

石にしがみついているよ！

石にがっしりしがみついているようなヤニホコリ。石の上を移動している変形体はたまに見かけますが、この写真のヤニホコリは、ここで子実体をつくりはじめています。

キノコといっしょだよ！

キノコのふちにくっついているユガミモジホコリです。捨てた古畳にキノコが生え、そのキノコに変形体が這《は》い上がって、子実体をつくってしまいました。

栗のいがにいるよ！

栗のいがにいるシラタマウツボホコリです。この種はとにかく栗が好き。しかし、なぜ栗が好きなのかは不明です。

ゴミ捨て場に出現！

ゴミ捨て場にあらわれたヘビヌカホコリです。近くに腐朽木があり、たまたまこのような場所に子実体をつくったようです。

野菜にくっついているよ！

ミニトマトに発生したハイイロフクロホコリです。畑にあらわれた変形菌は、農作物に這い上がり若い苗の成長をおさえたり、実を汚してしまったりすることがあります。

観察ってどうするの？

**やった、変形菌を発見!!　だけど、どこをどう見たらいいの？
そんなあなたのために観察のポイントをまとめました。**

まずは見た目重視！

とにかくまずは見た目です。子実体の色、大きさ、柄《え》のあるなし、子嚢《しのう》（胞子《ほうし》がつまっている袋）のかたち（丸いか、細長いか）、子嚢の表面に小さなつぶつぶがついているか？　子実体は密集しているか、散らばっているか？　など。このような見た目の特徴だけで、同定《どうてい》（種類やグループを特定すること）できるものはたくさんあります。

次に、つついてみる

子嚢の表皮《ひょうひ》の厚さを確かめるのに、ルーペで見ながら子嚢を少しつついてみます。表皮が薄いとすぐに破れ、子嚢の中の胞子や糸状《しじょう》のものが見えます（すでに表皮が破れていることも多いです）。

さらに、息を吹きかける！

息を吹きかけて胞子を少し飛ばしてみます（ストローを使うと◎）。すると、子嚢の中の糸状のものがよりはっきり見えます。また、小さなつぶつぶが見えることも。以上のような特徴をまとめてみると、普通種《ふつうしゅ》と呼ばれる種類はある程度同定できます。

観察会の様子。みんなで変形菌を探しています。

ルーペの使い方

観察のときの必須アイテム、ルーペ。
これがないと、変形菌探しははじまりません。

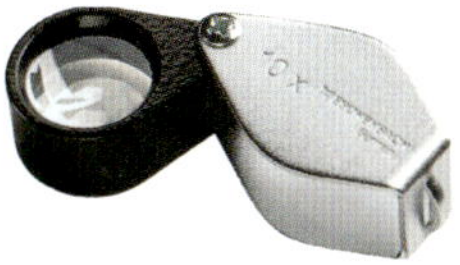

変形菌は小さいので、倍率10〜20倍の自然観察用ルーペがベスト。首から下げられるようにストラップなどを通しておくと、なくすこともなく、さっと使えて便利です。

基本の姿勢

ルーペを目に近づけ、固定します。この姿勢を保つようにします。ルーペでは絶対に太陽を見ないように。

野外観察のとき

ピントが合うまで変形菌にぐぐっと近づきます。かなり変形菌に接近することになります。

標本を見るとき

標本を観察するときは、固定しているルーペに標本を近づけて、ピントを合わせ観察します。

観察記録をつけてみる

変形菌と出会った記録を書きとめておきませんか？
観察記録を開くたびに思い出がよみがえります。

わかる範囲で記しておく

観察記録で記入することはわかる範囲でかまいません。わからない部分は、家に帰って調べてから書き足すと理解が深まります。

●変形菌の名前

変形菌の名前を書き入れます。すぐにはわからない場合、家に帰ってから調べて書きます。どうしてもわからない場合は「不明」と書いておき、標本を観察会などで専門家に見てもらうのもいいでしょう。

●日付／天気／気温

採集に出かけた日付、その日の天気、気温などを記します。

●採集場所

ここは詳しく記録するに限ります。地名なら、何県何市のどの山か。緯度や経度、標高がわかればさらによいです。

●基物

腐朽木の場合、どの程度の太さか、針葉樹か広葉樹か。落ち葉の場合、その植物の名前など、わかる範囲で記しておきましょう。

●標本番号

採集した場合、標本番号をつけておくといいでしょう。標本箱にも記入すると、整理するときに便利です。

●備考

どれくらいの範囲（面積）で子実体が見られたのか、採集場所の環境など、気づいたことも記しておきます。

●イラスト部分

スケッチでも、写真でもお好みで。

クモノスホコリ

日付／天気／気温	2012.7.29／☀晴れ／33.2℃
採集場所	山形県上山市蔵王高原坊平キャンプ場
基物	アカマツ倒木（直径：20cm 長さ：1.5m）
標本番号	036
備考	・とにかくびっしりいた。 ・アカマツの倒木周辺は湿っぽい。冷んやりしている。 ・胞子は飛んだあとみたい。

変形菌を写真に撮ろう！

標本にできない変形体や未熟子実体《みじゅくしじつたい》などの姿はぜひ写真で。
この本の写真を撮った伊沢正名さんにコツを聞いてみました。

光

変形菌がいる場所は、薄暗いことが多いのでフラッシュを。ただし、生態や発生環境がわかるように撮影する場合は、自然光、長時間露出《ろしゅつ》で。変形菌を立体的に見せるなら斜光《しゃこう》ぎみに。未熟子実体は逆光で撮ると透明感が出ます。

接し方

上から見下ろすように撮るなんて見下すのと同じこと！　変形菌と同じ高さに目線を合わせて撮るようにします。とくに子実体に対してはそうしましょう。

体勢

変形菌は低い位置にいることが多いため、寝そべるような不自然な体勢で撮ることも……。体を傷めないよう、ほどほどに。

アングル

どんなところにいるのかがわかるように背景、基物も入れながらアングルを決めます。また子嚢だけでなく柄など、特徴を引き出すようなアングルが◎。

ツツサカズキホコリ

手ぶれ

手ぶれを起こさないよう、両手でカメラを持ち、脇を締め、カメラを固定させます。また、三脚でしっかりカメラを固定すればベストです。

接写

子実体は小さいので、実物大以上の拡大接写をします。その際、接写リングなどを使うとよいのですが、ない場合はルーペをレンズにあてれば簡単に拡大できます。

ひみつ道具

寝そべって写真を撮るときに服を汚したくない方はレジャーシートを。レフ板代わりのアルミホイルがあればベター。変形菌についたゴミを取るため、先の細いピンセットや小筆、針があれば便利。

コンデジで撮ってみました！

コンパクトデジタルカメラが持つズーム機能と10倍のルーペ、左ページのコツを駆使して撮ってみました。

撮影：編集部

ウツボホコリです。コンデジのレンズに10倍ルーペをあて、ズーム機能5倍、フラッシュなしで撮影。

サラクモノスホコリ。ルーペを使って撮影するとピントは中心にしか合いません。

ホソエノヌカホコリです。子嚢のふわふわした雰囲気を出してみました。

こちらはズーム機能なし、10倍ルーペ、フラッシュなしで撮影したツヤエリホコリ。

シロウツボホコリ。ズーム機能を使わないほうが、ピントが合いやすいです。

採集してみる

採集の極意は、必要な分だけ採ること。
あまり欲張らないで、すこ～しだけいただきます。

1 発見！

変形菌を見つけたらすぐには採集せず、じっくり観察します。このとき、観察記録をつけたり、写真を撮影したりしておきます。

2 採集

いよいよ採集です。標本箱の大きさや変形菌の大きさに合わせて、基物ごと必要な分だけ採集します。そのときにはヘラ、ハサミ（剪定《せんてい》バサミなど）、カッターなどを使いましょう。くれぐれも安全面を考慮してください！　また、標本を切り取るときに、標本箱と同じ大きさか倍々の大きさにそろえておくと整理しやすいでしょう。

ヘラ
倒木などにあてて基物の表面とともにこそげ取るようにします。

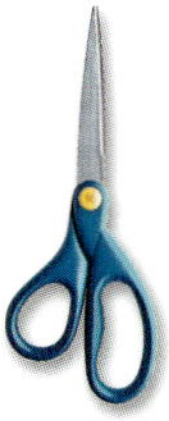

ハサミ
落ち葉、枯れ草、枯れ枝、生きている植物の葉・茎などに。また、大きさを整えるときにも使います。

カッター
倒木などに。切り取るように使います。

3 標本箱に入れる

子実体の場合は、標本台紙か標本箱に直接、木工用ボンドや速乾性のある接着剤で基物ごと貼ります。密閉できる箱は、中が蒸れるので子実体には不向きです。
未熟子実体や変形体の場合は、乾燥を防ぐため、しっかり密閉できるプラスチック製の箱へ入れます。基物の下に薄い発泡スチロールなどを敷き、テープや押しピンなどで固定してフタをします。ときどき水分を補給してあげて下さい。
標本箱は、お菓子の空き箱やプラスチックの弁当箱などでもOKです。子実体か変形体かによって紙の箱かプラスチック製の箱かを使いわけましょう。

4 持ち帰る

持ち帰った変形菌は、子実体の場合、フタを開けてしっかりと乾かします。夏場は早く乾かさないとすぐにカビに侵されるのでご用心！
変形体の場合は、飼育する、または子実体形成させて標本にするという手段があります。飼育は、種によって難しいため、初心者にはあまりおすすめしません。子実体を形成させるのであれば、明るい光にあてます（直射日光はさけること）。光源は、蛍光灯でもかまいません。子実体形成が終わったら、完全に乾燥させて標本にするとよいでしょう。

標本をつくってみる

「標本」というと手間がかかりそうですが、
変形菌の標本は、とっても簡単。特別な道具もいりません。

写真：川上新一　標本提供：眞鍋雅彦

宝石をながめるように変形菌をながめる

一つの箱に、たくさんの種類の変形菌をそれぞれ基物ごとおさめれば、変形菌の宝石箱のできあがり。これでいつでも好きなときに変形菌をながめることができます。透明なフタがあれば、子実体が壊れにくいし、ながめやすいです。このように複数の変形菌の宝石箱にしてもよし、種類ごとに標本箱におさめてもよし。お好みのタイプの標本をつくってみましょう。

標本づくりの道具

厚紙

これを組み立てて標本箱をつくります。

カッター

厚紙をほどよい大きさに切るために使います。手を切らないよう扱いには気をつけて。

ペン

標本箱に、採集日、採集場所、変形菌の名前、採取した人の名前、標本番号などを書きます。

木工用ボンド

標本箱をつくるとき、また、変形菌を標本箱に固定するときに使います。

ナフタリン

洋服の防虫・防カビ剤のこと。虫やカビから変形菌を守るために入れておきます。

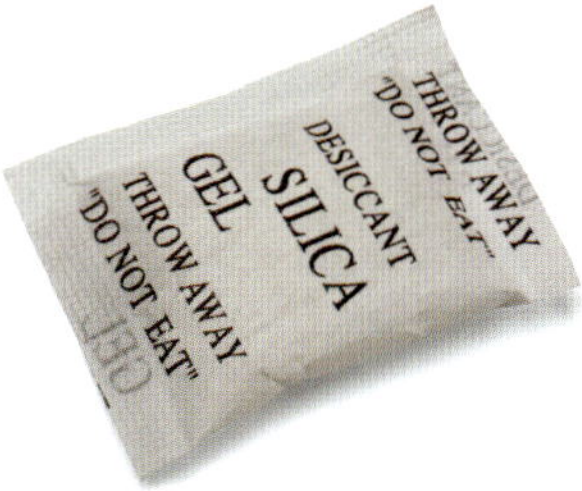

シリカゲル

乾燥剤として入れておきます。お菓子などに入っているものを使えばよいでしょう。

標本づくり3ステップ

標本箱展開図

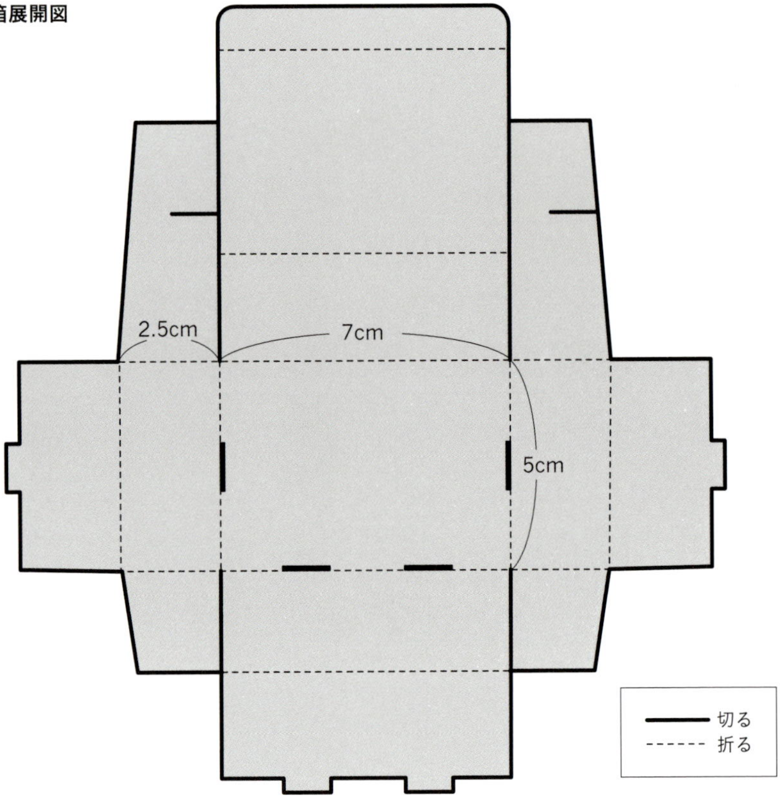

1 切る！

厚紙を寸法どおり（図太線）に切ります。幅7cm×長さ5cm×高さ2.5cmの箱ができるようにします。

2 折る！

図の点線部分を折っていきます。これで標本箱の完成です。

3 貼る！

木工用ボンドか接着剤で変形菌を台紙に貼ります。このとき、台紙ではなく、標本箱に直接貼ってもかまいません。変形菌を壊さないように気をつけて。

できあがり。左の写真のタイプだと、一度に開けられます。下の写真は引き出しタイプ。

標本箱のフタになる部分に、採集日、採集場所、変形菌の名前、採取した人の名前(col.)、同定した人の名前(det.)、標本番号を書いておきます。また、内側にも標本番号を書きましょう。

保存するには？

カビを発生させないため、風通しのよいところに置いて乾燥させます。ただし、水分を多く含んだ標本や虫がついていそうな標本は、白熱電球や電熱器のようなもので熱を加えて早く乾かすことをおすすめします。よく乾かした標本を密閉できる大きな箱にひとまとめにし、その中に虫・カビ予防にナフタリンなどの薬剤、湿気防止のためにシリカゲルを入れておきます。密閉できない箱の場合はチャックのついたビニール袋に入れて保存します。変形菌の標本は、カビや虫から守ってあげればずっと採集時の姿のままです。ただし、振動で表皮が壊れやすいものや色が褪せるものも中にはあります。

COLUMN ②

変形菌じゃなくなった生きものとちかい生きもの

変形菌に似た生きもののグループには、「原生粘菌類《げんせいねんきんるい》」、「細胞性粘菌類《さいぼうせいねんきんるい》」があります。これに、変形菌のグループである「変形菌類・真正《しんせい》（真性）粘菌類《ねんきんるい》」を加えた、３つのグループが広い意味での「粘菌類」とされています。

ツノホコリのなかまは、以前は「変形菌」のグループでした。しかし、長い間「ほかの変形菌とはかなりちがうな」と研究者の間では思われていました。

研究者たちが変形菌とのちがいを感じていた一つは、胞子を入れる袋である子嚢をつくらないということです。では、ツノホコリのなかまがどこに胞子をつくるのかというと、子実体の外側です。小さな突起をたくさんつくってその上に胞子ができます。

さらに奇妙なのは、子実体全体が湿った状態から乾いてしまうと、大幅に縮んでしまうことです。変形菌ではそのようなことはありません。なぜこのようなことが起きるのでしょうか？それは、子実体がゼラチン質でできているからです。ツノホコリのなかまは、水分を含んだ状態ではとてもきれいです。しかし、標本にすると水分を保つことができず縮んでしまうので、どうも見栄えがよくありません。

このようなほかの変形菌とのちがいは、最近のDNAを調べた結果で裏づけられました。つまりツノホコリのなかまは変形菌のグループではなく、いわゆる「原生粘菌類」というグループに入れられることになったのです。

ところが、このツノホコリのなかまは、「原生粘菌類」の中でも少し変わっています。「原生粘菌類」はとても小さく、野外で見つけることはまずできませんが、「ツノホコリのなかま」は肉眼で見つけることができるほど大きいのです。

ちなみに、「原生粘菌類」の一般的な特徴は以下のとおりです。

- 顕微鏡で見ないとわからないほどとても小さい。
- １つの子実体に１〜数個の胞子を形成する。
- ライフサイクルの中で、アメーバ体

倒木にあらわれたツノホコリ。「原生粘菌」にはめずらしく、見つけやすいです。

下側の透明な部分がツノホコリの変形体です。

湿っているときはきれいですが、乾燥するとしなびてしまいます。

ツノホコリの子実体（拡大）。子実体の外側に、胞子がくっついているのがわかります。

「細胞性粘菌」のムラサキカビモドキ。

の時期があり、種によってはべん毛細胞や変形体をつくる。

変形菌とちかいもう一つの生きものが、「細胞性粘菌類」です。

「細胞性粘菌類」の特徴は、

- 変形菌のようなしっかりした子実体の構造を持っておらず、少しの風でも倒れてしまう（原生粘菌も同様）。
- 乾燥にも極端に弱い。生育場所はおもに地面の湿った場所である（原生粘菌も同様）。
- 粘菌アメーバが集まって子実体をつくる。
- ライフサイクルの中で、粘菌アメーバの時期があるが、べん毛細胞にはならず、変形体の時期はない。

などがあります。

さまざまなちがいはありますが、その子実体はみずみずしく、透明感があり、とてもきれいです。

こうした「原生粘菌類」、「細胞性粘菌類」の二つの粘菌のグループは、野外では目立ちませんが、変形菌に負けじと生きています。

③ 見る

いろいろいるよ！　変形菌《へんけいきん》ずかん

タマジクホコリ

変形菌ずかんの楽しみ方

変形菌にはどのような種類があるのか、またその特徴を写真とともに見ていきましょう。いろいろなかたち・色、名前のおもしろい種がいます。

11グループ、
79種の変形菌たち

この章では、日本で見つかりやすいか、特徴のある変形菌79種を紹介します（そのうち原生粘菌《げんせいねんきん》は５種）。通常生物は、界《かい》→門《もん》→綱《こう》→目《もく》→科《か》→属《ぞく》→種《しゅ》と分類されます。変形菌の「クビナガホコリ」を例にすると、アメーバ界→アメーバ動物門→変形菌綱→ハリホコリ目→クビナガホコリ科→クビナガホコリ属→クビナガホコリとなります。この本では、こうした分類レベルを大幅に省略して、「科」を「なかま」と呼ぶこととします。ただし、この本では扱わない「科」がいくつもあります。また、アミホコリのなかまとフンホコリのなかまは同じアミホコリ科に属していますが、かたちがかなり異なるので、便宜的に別々のなかまとして扱います。このようなことから、紹介する79種を11グループにわけています。

おもしろさを倍増させる
変形菌ずかんの読み方

最初から順番に読んでいってもいいですし、気になる変形菌の写真を見て読んでいってもかまいません。自由に読んでください。おもしろく読める提案を一つ。写真を見たとき、「この変形菌、何に似ているかな？」と少しだけシンキングタイムを設けてみてください。それから解説を読むと、おもしろさが増すと思います。また、独自のあだ名をつけたりしてもおもしろいでしょう。

基本的に「科」を「なかま」と扱っています。

その「なかま」のおもな特徴を解説しています。

「なかま」わけをあらわします。

アミホコリのなかま

アミホコリのなかまは、王冠やティアラ、カツラ（！）をかぶった高貴な面々。こうした王冠などは網目状になっていることが多く、とくに「壁網」と呼ばれます。これらは胞子がなくなっても残ります。細毛体はなく、胞子は黄色、褐色、赤色、または紫色をしています。

クビナガホコリのなかま

アミホコリのなかま

和名

学名

おしゃれなカツラが重すぎて……

クモノスホコリ

Cribraria cancellat

素敵なカツラでおしゃれをしたけれど、重すぎてうつむきかげんという感じ。このカツラは、扇風機のスポークのような「肋《ろく》」と呼ばれるものでかたちづくられています。胞子は赤みがかった褐色、変形体は紫がかった黒色です。

[時期] 春～秋、とくに梅雨明け

[基物] 針葉樹《しんようじゅ》の腐木上

[大きさ] 高さ1～5mm程度。子嚢の直径0.5～1mm程度

[ポイント] 子嚢は多くの肋からできている

子嚢の中の胞子が飛んで空になった状態です。胞子のかたまりが風によってカゴの中でカラカラと転がりながら、胞子を飛ばしているのかもしれません。たびたび子嚢の中央部分がへこみます。杯状体《はいじょうたい》（子嚢の基部にお皿状のもの）がある「サラクモノスホコリ」（→p.113）もときどき見つかります。

63

その種の特徴がわかる写真を掲載しています。そのため、まだ湿っていたり、古かったりする子実《しじつ》体《たい》の写真をあえて掲載している場合があります。

その種の生態や特徴などの解説をしています。胞子《ほうし》は反射光で見た場合の色を、変形体《へんけいたい》は代表的なもののみ色を示します。

「時期」には発生時期、「基物《きぶつ》」には子実体をつくる場所を、「大きさ」には子実体の高さ、長さ、子《し》嚢《のう》の直径などを、「ポイント」にはおもにルーペや実体顕微鏡でほかの種類と見わけられる特徴をそれぞれ記しています。

※同定《どうてい》が難しいものは「○○属の一種」と掲載しています。

ツノホコリのなかま（原生粘菌）

以前は変形菌のなかまに入っていましたが、現在は原生粘菌のなかまに属しています（理由は→p.54）。このなかまの子実体は「担子体《たんしたい》」と呼ばれ、ゼラチン状をしています。この表面から無数の小さな柄《え》が出ていて、一つずつ球形から楕円形の胞子をつけます。

変形菌ではないけれど、まずはこれから

ツノホコリ

Ceratiomyxa fruticulosa

ツノホコリのなかまでは最もよく見つかる種です。担子体は枝わかれし、シカの角のよう。たびたび大群生します。胞子は白色、変形体は無色から白色です。

［時期］春〜秋、とくに梅雨明け

［基物］腐木《ふぼく》、まれに生木《せいぼく》樹皮上

［大きさ］高さ1〜2mm程度

［ポイント］担子体は1、2度枝わかれする

サンゴのような造形美

タマツノホコリ

Ceratiomyxa fruticulosa var. *porioides*

ハチの巣状の半球形や球形が、海の生きもの・サンゴの骨格に似ています。以前は、「タマサンゴホコリ」という名前でも呼ばれていました。胞子は白色です。

［時期］おもに夏

［基物］腐木上

［大きさ］担子体1個の直径2〜3mm程度

［ポイント］担子体は白く半球形や球形で、ハチの巣状をしている。しばしばほかの担子体とくっつく

ムーミンのニョロニョロはこれ!?

エダナシツノホコリ

Ceratiomyxa fruticulosa var. *descendens*

枝わかれしない円柱状の担子体がにょろにょろっと群生します。「パイプタケ」というキノコに似ています。胞子は白色です。

時期 おもに夏

基物 腐木上

大きさ 高さ約1mm。直径約0.3mm

ポイント 担子体は枝わかれしない

白い林が広がる

ナミウチツノホコリ

Ceratiomyxa fruticulosa var. *flexuosa*

枝のように広がった表面には、たくさんの白い胞子をつけています。まるで、粉雪をまとった林のよう。ルーペで見ると幻想的です。

時期 おもに夏

基物 腐木上

大きさ 高さ2〜10mm程度

ポイント 担子体は枝わかれが多く、しばしば曲がりくねる

黄色だっている！

キイロタマツノホコリ

Ceratiomyxa fruticulosa var. *porioides* f. *flava*

「タマツノホコリ」の品種《ひんしゅ》（同一種だが、形質が少し異なる）とされていて、たまに見つかります。「タマツノホコリ」ほどきれいな半球形や球形にはあまりなりません。

時期 おもに夏

基物 腐木上

大きさ 高さ数mm程度。長さ数mm〜20cm超

ポイント 担子体は黄色でハチの巣状

クビナガホコリのなかま

子嚢を「頭」、柄を「首より下の体」とみなすと、極端に細くなっている柄の上部は「首」に見えてきませんか？　それも全体のバランスからすると、極端に長いのです。一方、子実体のサイズは比較的小さく、野外で見つけるのが難しいなかまです。胞子は褐色を帯びます。

頭だけを見ればライチのよう

クビナガホコリ

Clastoderma debaryanum

湿室培養《しっしつばいよう》（腐木か生木の樹皮を室内の湿度の高い状態に置くこと）で子実体をつくることがあります。変形体は網状にならず、白からのちに緑色になります。

時期	春〜秋
基物	腐木、生木の樹皮上
大きさ	高さ1〜1.5mm程度。子嚢は直径約0.2mm以下
ポイント	柄の途中に光沢のある丸いふくらみがある

柄の途中に光沢のある丸いふくらみが見られます。子嚢壁はのちに裂けて、その一部は細毛体に付着して残ります。褐色の頭（子嚢）のざらざらした感じが、ライチのように見えませんか？

アミホコリのなかま

アミホコリのなかまは、王冠やティアラ、カツラ（！）をかぶった高貴な方々。こうした王冠などは網目状になっていることが多く、とくに「壁網《へきもう》」と呼ばれます。これらは胞子がなくなっても残ります。細毛体はなく、胞子は黄色、褐色、赤色、または紫色をしています。

おしゃれなカツラが重すぎて……

クモノスホコリ

Cribraria cancellata

素敵なカツラでおしゃれをしたけれど、重すぎてうつむきかげんという感じ。このカツラは、扇風機のスポークのような「肋《ろく》」と呼ばれるものでかたちづくられています。胞子は赤みがかった褐色、変形体は紫がかった黒色です。

［時期］春～秋、とくに梅雨明け

［基物］針葉樹《しんようじゅ》の腐木上

［大きさ］高さ1～5mm程度。子嚢の直径0.5～1mm程度

［ポイント］子嚢は多くの肋からできている

子嚢の中の胞子が飛んで空になった状態です。胞子のかたまりが風によってカゴの中でカラカラと転がりながら、胞子を飛ばしているのかもしれません。たびたび子嚢の中央部分がへこみます。杯状体《はいじょうたい》（子嚢の基部にあるお皿状のもの）がある「サラクモノスホコリ」（→p.113）もときどき見つかります。

気品あふれる凛《りん》としたたたずまい

ムラサキアミホコリ

Cribraria purpurea

女性らしい色合い、凛としたたたずまいは、やさしいお人柄を映す女王様のよう。子嚢に細かい壁網と杯状体があります。

［時期］おもに秋、たまに春

［基物］針葉樹の腐木上

［大きさ］高さ2mm前後。子嚢の直径0.5～1mm程度

［ポイント］子実体は赤みがかった紫色

可憐で高貴な王妃

スミレアミホコリ

Cribraria violacea

頭にティアラをのせた様子は王妃そのもの。子実体は小さく、暗い紫色。壁網はやや粗く、杯状体はたびたび子嚢の半分以上を占めます。胞子はすみれ色。

［時期］春～秋

［基物］腐木、生木の樹皮上（硬い樹皮にも）

［大きさ］高さ0.5～2mm程度。子嚢の直径0.3mm以下

［ポイント］子実体は小さく、暗い紫色

網目につぶつぶの王冠をかぶった

フシアミホコリ

Cribraria intricata

王冠をかぶった王子様たち。胞子がなくなると、王冠部分にはきれいな網目とつぶつぶが見られます。子嚢、胞子は黄土色。変形体は緑色、鉛色などです。

［時期］春～秋、おもに夏

［基物］針葉樹の腐木上

［大きさ］高さ1～4mm程度。子嚢の直径0.5～1mm程度

［ポイント］子嚢は黄土色で網目が細かく、杯状体がある

貫禄ある年老いた王様

アミホコリ属の一種

Cribraria sp.

フシアミホコリと同様、網目に小さなつぶつぶの王冠をかぶっています。背中(柄)が曲がり、地面に向かうにつれて太くなっていきます。その様子は貫禄ある年老いた王様のよう。このなかまは種類が多くて分類は難しいです。

すらりとした見事なプロポーション

アシナガアミホコリ

Cribraria microcarpa

足(柄)がすらりと長いお妃候補たち。どなたも独自のポージングをしています。胞子は黄褐色から黄土色。湿室培養でよくあらわれます。

時期	春〜秋
基物	針葉樹の腐木、生木の樹皮上
大きさ	高さ1〜5mm。子嚢の直径0.3mm以下
ポイント	柄が長い(子嚢の直径の6〜20倍)

小さなお姫様たち

ヒメアミホコリ

Cribraria minutissima

褐色のティアラをつけた「ヒメアミちゃん」は小さなお姫様。子実体や胞子が、赤や橙色を帯びた褐色です。湿室培養でよくあらわれます。

時期	春〜秋
基物	腐木、生木の樹皮上
大きさ	高さ1mm以下。子嚢の直径約0.3mm以下
ポイント	子実体は小さく、杯状体は子嚢の半分以上

フンホコリのなかま

和名の「フン」は、見た目が小動物や虫の糞に似ているからです。しかし、まったくそうとは見えない柄があるものもいます。変形膜《へんけいまく》や子嚢壁《しのうへき》は比較的丈夫！　子嚢壁にごく小さな粒（壁《へき》小粒《こつぶ》）があります。胞子は褐色を帯びます。

森の排泄物《はいせつぶつ》!?

フンホコリ

Lindbladia tubulina

子実体になりたてのフンホコリ。まだ乾燥しきっていなくて、黒々としています。変形体もほぼ黒色。写真左下のうす茶色の膜は変形膜です。

時期	春〜秋
基物	針葉樹（マツなど）の腐木上
大きさ	高さ1cm以下。幅数cm〜10cm程度
ポイント	子嚢は扁平や半球形で大きく、褐色

乾燥すると、褐色で若干光沢のある、扁平な子実体のできあがり。こうなると、和名がぴったりに思えます。でも、においはしないのでご安心ください。

変形菌界のおしゃれさん

タチフンホコリ

Lindbladia cribrarioides

黄色いベレー帽をかぶり、茶色のコートを着込んでとってもおしゃれ。このベレー帽部分は、実は網目になっています。

[時期]	春〜秋
[基物]	針葉樹（スギなど）の腐木上
[大きさ]	高さ約2mm。長さ約1cm以上。子嚢の直径約0.5mm
[ポイント]	円筒状の子嚢が密着し、先端部が網目状。オレンジ色の変形膜が目立つ

こちらも子実体になりたては真っ黒です。少ししわが入っています。ちょうど、お正月に食べる黒豆にしわが入ってしまった感じです。柄から変形膜まで赤みがかった褐色で、ねばっとしているのが見て取れます。

ハシラホコリのなかま

ハシラホコリのなかまは、多くの柱状の子嚢が密着して、平べったい子実体をかたちづくっています。また、それぞれの子嚢上面は角張ったフタ状になっています。胞子の色は、黄色、黄土色、褐色、うぐいす色、または赤色をしています。

ヘビのうろこを思わせる

アカハシラホコリ

Dictydiaethalium plumbeum f. *cinnabarinum*

できたての新鮮な子実体の表面はヘビのうろこのよう。子嚢はふつう朱色。変形膜が白く、見つけやすいのですが、たまにしかあらわれません。

[時期] 春〜秋、おもに夏

[基物] 腐木、まれに生木樹皮上

[大きさ] 高さ約1mm。長さ1〜10cm程度。子嚢の直径0.5mm以下

[ポイント] 朱色の子嚢が密着し、子嚢の表面は角張る

こちらは古い子実体。乾燥してフタがはがれたり、子嚢間に隙間ができたりして、胞子が見えています。子嚢が青みを帯びた灰色から土色のものは、「ハシラホコリ」という種です。

ドロホコリのなかま

「フン」「ハシラ」に続きまして、次は「ドロ」です。このなかまは比較的大きな子実体をつくります。胞子は淡い褐色系で、ふつう網状の突起があります。また、細毛体に似た、子嚢壁に由来する擬細毛体《ぎさいもうたい》をつくります。

ベールに包まれた

マンジュウドロホコリ

Enteridium lycoperdon

新鮮な子実体は、白いベール（膜）に包まれています（ちなみに変形体も白色）。隠れているつもりでしょうが、バレてますよ。だって、大きいし、基物の色とちがいますから。胞子は数個ずつくっつきあいます。変形体は白色。

時期	春〜秋
基物	腐木上
大きさ	幅約6cmまで
ポイント	子嚢は褐色で大きく、擬細毛体は樹状

時間が経過すると白いベールは褐色に変わって、温泉まんじゅうのようになります。子嚢のかたちはふつう半球形や枕形。ちなみに、擬細毛体は、フンホコリやハシラホコリのなかまなどでも見られます。

鉛筆の束を上から見たような

クダホコリ

Tubifera ferruginosa

細長い子嚢がたくさん密着して、鉛筆の束を上から見たようなかたち。子実体の根元付近に小さな卵形の子嚢があれば「コモチクダホコリ」という別種です。

［時期］春〜秋

［基物］腐木上

［大きさ］高さ約5mm。直径約15cmまで。子嚢の直径0.5mm以下

［ポイント］細長い円筒形の子嚢が密着し、先端部がフタ状に裂ける

まるでしょうゆ漬けにしたすじこ

オオクダホコリ

Tubifera casparyi

ぷつぷつ感がすじこのしょうゆ漬けみたい。ぷつぷつの一つ一つが子嚢で、子嚢壁は比較的丈夫。クロサイワイタケに似ています。比較的標高の高い場所に出現します。

［時期］とくに秋

［基物］針葉樹の腐木上

［大きさ］長さ5〜20cm程度。子嚢の直径0.5mm以下

［ポイント］数多くの子嚢が密着。子嚢壁は丈夫

キノコのそっくりさんがいる

マメホコリ

Lycogala epidendrum

子嚢はほぼ球形で灰色から褐色系、未熟なものは桃色から橙色です。変形体は赤みを帯びます。この種はよく見つかります。

[時期] 暖かい地域では通年

[基物] 腐木、たまに生木の樹皮上

[大きさ] 子嚢の直径約15mmまで

[ポイント] 子嚢はほぼ球形。子嚢壁表面にうろこ形の突起

イノシシの頭みたい

イクビマメホコリ

Lycogala conicum

「イクビ」とは、「猪首」のこと。円錐《えんすい》のとがったかたちが、イノシシの頭と似ています。この種はあまり見つかりません。

[時期] 春〜秋

[基物] 腐木上

[大きさ] 高さ約4mmまで。子嚢の直径約2mmまで

[ポイント] 子嚢は円錐状、子嚢壁のうろこ形突起がつながって網目状

すべすべ桃色肌の

チチマメホコリ

Lycogala flavofuscum

思わず手でふれて、なでたくなります。まんじゅうか洋ナシのようなかたちをしています。結構レアなので、見つけるとうれしい変形菌です。

[時期] 春〜秋

[基物] 広葉樹《こうようじゅ》の腐木、まれに生木上

[大きさ] 直径約5cmまで

[ポイント] 子嚢の色が淡い。子嚢壁は厚く、すべすべ

ウツボホコリのなかま

ウツボホコリのなかまは、子実体ができてまもなく子嚢壁の上部がはがれ落ち、下部（杯状体）が三角形のカクテルグラスのように残ります。そして網状の細毛体が伸びて胞子を飛ばします。胞子は淡くて明るい色をしています。

ウツボホコリ四天王 その①

ウツボホコリ

Arcyria denudata

子実体はふつう群生します。できたての子実体は鮮やかな赤系の色ですが、やがてくすんだ赤色や褐色に。変形体は白色をしています。

時期	春〜秋
基物	腐木上
大きさ	高さは細毛体が伸びて7mm程度まで
ポイント	子嚢は赤色。細毛体は杯状体にしっかりつく

ウツボホコリ四天王 その②

シロウツボホコリ

Arcyria cinerea

お次は白色。実際はホワイトグレーから淡い黄色です。細毛体はあまり伸びません。「ウツボホコリ」といっしょに見つかると、紅白カラーでおめでたい気分に。

[時期]	春〜秋、とくに夏
[基物]	腐木、生木樹皮上
[大きさ]	高さは細毛体が伸びて約5mmまで
[ポイント]	子嚢はホワイトグレーから淡い黄色

ウツボホコリ四天王 その③

キウツボホコリ

Arcyria obvelata

四天王３番目は黄色です。細毛体が大きな網目をつくり、伸びてふわふわとしたスポンジのようになります。それは杯状体から簡単に離れます。変形体は白色。

[時期]	春〜秋、とくに梅雨明け
[基物]	腐木上
[大きさ]	高さは細毛体が伸びて約15mm以上
[ポイント]	子嚢は黄色。細毛体は長く伸びる

ウツボホコリ四天王 その④

アオウツボホコリ

Arcyria glauca

最後の四天王は青。淡い青緑色、古くなると緑がかった褐色に。なかなかお目にかかれないので、もし見つけたら幸せな気分になること間違いなしです！

[時期]	夏
[基物]	広葉樹の腐木、落ちた枝上
[大きさ]	高さはふつう6mmまで。子嚢の直径約1mmまで
[ポイント]	子嚢は淡い青緑色

帽子から糸が出ますよ！

ハチノスケホコリ

Metatrichia vesparium

複数の丸い頭（子嚢）が集まったかたち。半球形の帽子（フタ）がとれると、赤っぽい糸（細毛体）が伸びて出てきます。

時期	おもに秋〜冬
基物	腐木上
大きさ	高さ約4mmまで。子嚢の直径1mm以下
ポイント	子嚢にフタがあり、ハチの巣状

この種は細毛体が驚くほど長く伸びます。これにより、胞子を効率よく遠くへ飛ばしているのかもしれません。胞子と細毛体がなくなると、残った子嚢壁がまさにハチの巣のよう。

ひとりじゃ生きられない!?

ヨリソイヒモホコリ

Perichaena depressa

ぺったんこで少し角張ったかたちをしています。通常は、家族で寄り添って生きていますが、たまに核家族、独身者もいます。ぺったんこの子嚢は栗色から黒色で地味ですが、フタが開いて鮮やかな黄色の胞子と細毛体があらわれます。

時期	春〜秋
基物	腐木、生木上、樹皮の裏側
大きさ	子嚢の直径約1.5mmまで
ポイント	子嚢は栗色から黒色、平たく、押し合って少し角張る

ケホコリのなかま

ケホコリのなかまの子実体の色は、基本的に黄色から黄土色をしていて、しばしば群れをなして発生します。ケホコリのなかまの細毛体を顕微鏡で観察すると、らせん状の模様が見られます。細毛体や胞子はふつう黄色っぽい色をしています。変形体はふつう白色です。

網目を描く橙色のヘビ

ヘビヌカホコリ

Hemitrichia serpula

橙色のヘビがうねうねと網目模様を描いているよう？　いやいやこれはヘビではなく変形菌です。幅10cm超えもめずらしくありません。

[時期] 春〜秋

[基物] 腐木上、樹皮の裏側

[大きさ] 幅はふつう約10cmまで。子嚢の太さ約0.5mm

[ポイント] 子嚢は黄から橙色で、網状

小人のマラカス

ヌカホコリ

Hemitrichia clavata

小人がマンボを踊るときに、ヌカホコリの柄を持ち、マラカスのように鳴らしていそう。そんな妄想をさせるかたちです。黄色から黄土色の子実体が群れて発生します。

時期	おもに秋～冬
基物	腐木上
大きさ	高さ1～2mm程度
ポイント	柄が上へ徐々に広がり、子嚢へと移行する

ふわふわ綿菓子

ホソエノヌカホコリ

Hemitrichia clavata var. *calyculata*

屋台で売っている綿菓子のよう。綿菓子部分は、胞子がついた細毛体です。子実体はあまり群生しません。変形体は黄色。未熟な状態が長いので、そのみずみずしさも楽しんで。

時期	春～秋
基物	腐木上
大きさ	高さ1～3mm程度。柄の長さ0.5～2mm程度
ポイント	柄が細長く、急に子嚢へ移行する

森のキャビア

キンチャケホコリ

Trichia scabra

とんぶりが「畑のキャビア」なら、こちらは「森のキャビア」ということで。この写真の色以外にも、黄色、黄土色、うぐいす色を帯びた子実体が見られます。

時期	おもに秋～冬
基物	腐木上
大きさ	子嚢の直径約1mmまで
ポイント	ほぼ球形の子実体が多数密生。胞子に繊細な網目

黒いいも虫が這っている

ヤマケホコリ

Trichia alpina

黒いいも虫がたくさんいるよう。黒い外見とは裏腹に、胞子と細毛体は黄土色から橙色です。子嚢壁は結構硬め。好雪性《こうせつせい》変形菌《へんけいきん》(→p.37)の一種です。

時期	おもに春の雪解けころ
基物	腐木、枯れ葉、生木、生きたササの葉などの上
大きさ	太さ1mm以下
ポイント	子嚢壁は結構硬い。子実体の色が暗褐色から黒

ふわふわの綿玉

トゲケホコリ

Trichia favoginea var. *persimilis*

表皮が薄いため、乾燥するとすぐに破れ、細毛体が飛び出します。そうするとふわふわの綿玉のよう。

[時期] 春〜秋

[基物] 腐木上

[大きさ] 子嚢の直径約1mmまで

[ポイント] 「キンチャケホコリ」に似るが、胞子に粗い帯状の網目がある

茶色い異星人

エツキケホコリ

Trichia decipiens

黄土色から褐色の色の異星人が集団で攻めてきました。地球は侵略されるのか!? 「ヌカホコリ」(→p.77)と似ていますが、全体的に色が暗色です。

[時期] 秋〜冬

[基物] 腐木上

[大きさ] 高さ約2〜3mm程度。柄の長さ約1mm

[ポイント] 「ヌカホコリ」より子実体は大きく、暗色

モジホコリのなかま

モジホコリのなかまには、柄があるもの、ないもの、子実体のかたちが丸いもの、ゆがんだものなど、いろいろなかたちがあります。どんどん新しいかたちになる進化したグループです。変形菌の中で最もたくさんの種がいます。細毛体に石灰があり、胞子は暗色です。

キノコファンクラブ①

ブドウフウセンホコリ

Badhamia utricularis

腐った木にぶら下がって発生するとぶどうの房《ふさ》や風船にも見えます。このようにぶら下がっているのは、胞子を遠くへ飛ばす手段なのかもしれません。

[時期]	おもに秋
[基物]	腐木、キノコ上
[大きさ]	子嚢の直径約1mmまで
[ポイント]	子嚢は青みを帯びる。柄はひも状でしばしば長く伸びる。細毛体は石灰《せっかい》質《しつ》で白く網状

熱狂的なキノコファンです。黄色い変形体がキノコ全体にまとわりついて、キノコを食べてしまうこともあります(→P.23)。写真右下部分は、胞子を飛ばしたあとの子実体です。

落ち葉の上のビアガーデン

ツツサカズキホコリ

Craterium leucocephalum var. *cylindricum*

グラスに注いだビールのよう。白い泡の部分は石灰質です。フタが取れると、白いつぶつぶの石灰と黒色の胞子が。子実体が黄色い「キサカズキホコリ」も同時期にいます。

[時期] 春〜秋、とくに梅雨明け

[基物] 落ち葉の上

[大きさ] 高さ約1.5mmまで。子嚢の直径約0.5mm以下

[ポイント] 子嚢壁は白い部分が多い。子実体の上部はフタ状に割れて開く

ベレー帽をかぶった

サカズキホコリ

Craterium minutum

茶色いベレー帽（フタ）を取ると、白いつぶつぶがびっしり見えます。これは石灰質で、細毛体の一部です。とくに「石灰節《せっかいせつ》」ともいいます。

[時期] 春〜秋

[基物] 落ち葉の上

[大きさ] 高さ約1.5mmまで。子嚢の直径約1mm以下

[ポイント] 子嚢は黄土色から褐色、フタがあり、石灰節が大きい

事件を起こした

ススホコリ

Fuligo septica

1973年に北アメリカで大量発生し、未確認生物（UMA）として住民に恐れられました。黒っぽい胞子が大量につくられ、まるで「スス」のよう。変形体は黄色です。

［時期］春〜秋、とくに夏

［基物］腐木、生木上

［大きさ］高さ約3cmまで。直径ふつう約20cmまで（それ以上になることもある）

［ポイント］子嚢は黄色。石灰節は白（キフシススホコリは黄）

ときおりこのような白い子実体に出会います。これは、古くなって色が褪せた子実体です。変形菌の子実体は湿っているときと乾いたとき、そして古くなったときで色あいがちがいます。この写真に似た「シロススホコリ」という子嚢が白い別種もいます。

気分屋さん!?　な変形菌

クダマキフクロホコリ

Fuligo gyrosa

長い管がぐるぐるからまりあったようなかたちにもり上がります。子実体は灰白色で、子嚢壁が破れると真っ黒の胞子まみれになってしまいます。

時期	春〜秋
基物	生きた草、落ち葉、たまに土の上
大きさ	長さふつう数cm程度
ポイント	子実体は灰白色で管状の子嚢が積み重なったかたち

まだ湿っているできたての子実体は胞子の色が透けて見えるため、真っ黒です。乾燥すると、正反対の白色になります。気分ががらりと変わるのを色であらわしているのかもしれません。変形体は白色です。

抹茶クリームのモンブラン

ムシホコリ

Fulingo aurea

アップで見ると、少し緑色がかって見えます。抹茶クリームのモンブランを想像しませんか？　黄色い円筒形の子嚢が伸びて腐木上に垂れ下がり、胞子を飛ばします。

[時期] おもに夏

[基物] 腐木上

[大きさ] 長いものは約5cm。子嚢の直径1mm以下

[ポイント] 子嚢は細長くからみ合う

子嚢の形状は、細長い虫がうにゅうにゅっとからみ合ったようにも見えます。垂れ下がるときは、変形膜から延長した糸状の柄をつくります。

お手玉の中身に使えそう？

ウリホコリ

Leocarpus fragilis

お手玉の中に入れるジュズダマ（イネ科）の種子みたい。和名は瓜に似ていたため。変形膜から延長した白い柄でぶら下がります。子嚢壁は丈夫で破れにくいです。

時期	春〜秋
基物	落ち葉、落ちた枝。たまに、生きた植物の上
大きさ	高さ2〜4mm程度。子嚢の直径2mm以下
ポイント	子嚢はふつう卵形。淡黄色から褐色で、光沢がある

子嚢壁が破れ、黒い胞子が見えています。白いつぶつぶは細毛体にできた石灰のかたまりです。たまに、変形体が生きた植物の茎に這い上がり、茎の上、葉の裏にびっしり子実体をつくることもあります。

小さな鐘

チョウチンホコリ

Physarella oblonga

頭のてっぺんが深くへこんでいて、お寺の鐘のようなかたちをしています。写真のように乾燥すると、子嚢壁が花のように開きます。変形体は黄色。

- [時期] おもに夏
- [基物] 広葉樹の腐木上
- [大きさ] 高さ約3mmまで。子嚢の直径約1mmまで
- [ポイント] 子嚢は釣鐘《つりがね》型。子嚢壁は開いて花のようなかたちになる

こちらはできたての子実体。柄の色が鮮やかです。実はこの種、日本では昭和天皇がはじめて発見した変形菌です。発見場所は、赤坂離宮内苑。昭和天皇はほかにもさまざまな変形菌を発見しています(→P.31)。

カメの甲羅のような亀裂

アオモジホコリ

Physarum viride

成熟すると、頭にカメの甲《こう》羅《ら》のようなひびが入り胞子が飛び出します。群生することもしばしば。頭が橙色の「ダイダイモジホコリ」もときどき見られます。こちらはあまり群生しません。

[時期]	春〜秋、とくに梅雨明け
[基物]	腐木上
[大きさ]	高さ約1.5mmまで。子嚢の直径1mm以下。柄の長さは子嚢の直径の2倍程度
[ポイント]	子嚢および石灰節は黄色。変形体は黄色から黄緑色

できたてほやほやの子実体は、まだ湿っている状態のため、頭が緑(青)です。なのでこの名前に。乾燥していくにつれて、黄色に変化します。

骨折しやすい!?

シロジクモジホコリ

Physarum globuliferum

白い足(柄)は丈夫そうですが大変折れやすいので、触れるときはそっと。この種に似ているモジホコリのなかまはたくさんいるので、同定はむずかしいかも。

[時期] 春〜秋

[基物] 腐木上

[大きさ] 高さ1〜1.5mm程度。子嚢の直径0.5mm前後

[ポイント] 柄は石灰質で白い。柄の先端が子嚢の中まで入り込む

嗚呼、麗しき君

ウルワシモジホコリ

Physarum pulcherrimum

赤紫色の美しい子実体ですが、たまに暗赤色のものもいます。子嚢壁が裂けると、花を咲かせたように見えることも。ちなみに、学名の*pulcherrimum*は「最も美しい」の意味です。

[時期] 春〜秋

[基物] 腐木上

[大きさ] 高さ1〜2mm程度。子嚢の直径0.5mm前後

[ポイント] 子実体は赤から赤紫色。柄も赤色で石灰質

キノコファンクラブ②

イタモジホコリ

Physarum rigidum

「ブドウフウセンホコリ」(→P.80)と同じくキノコファンクラブの会員です。この写真はだいぶ乾いてきた状態です。乾燥すると、緑色からご覧のように黄色に変わります。

時期	春〜秋
基物	腐木、キノコの上
大きさ	高さ1〜2mm程度
ポイント	子嚢は黄色から橙色。平たい円盤状で中央が少しへこむ

子実体になりたてのときは、平べったいかたちの頭(子嚢)にへそのようなへこみが。また緑色に見えるのは、「アオモジホコリ」(→P.87)と同じで湿っているからです。柄は上部で細くなります。変形体は黄色です。ときには大発生することも。

ゆがんだ表情を見せる

ユガミモジホコリ

Physarum compressum

かたちは、両側から押しつぶしたようなうちわ形が標準で、灰白色をしています。写真は、ゴミ捨て場のビニール上にあらわれたところ。ゴミは変形菌の好物であるバクテリアの宝庫です。

[時期] 春〜秋

[基物] 落ち葉、たけのこの皮

[大きさ] 高さ約2mmまで。子嚢の直径約2mmまで

[ポイント] 子嚢は押しつぶされたようなうちわ形、じん臓形など

外に捨てられ雨ざらし状態の畳の上に発生したユガミモジホコリです。このように柄がなく、連なって大きくゆがんでしまうこともあります。同一種でもかたちの変化が大きい種です。変形体は灰白色。

おこづかいもらえるかな？

ガマグチフクロホコリ

Physarum bivalve

「おこづかいちょうだい！」と、手を出したくなります。このがま口部分が開いて、お金（黒い胞子）が飛び出します。口の白い部分は石灰質です。

時期	春〜秋、とくに梅雨明け
基物	落ち葉、枯れ枝などの上
大きさ	高さ約1mm。長さ約2cmまで
ポイント	子嚢の裂ける部分が明らかで、その縁が石灰質で白色

仕立てのいいジャケット

ボゴールフクロホコリ

Physarum bogoriense

ジャワ島のボゴールではじめて見つかった種。「ガマグチフクロホコリ」に似ていますが、子嚢壁の裂ける部分は石灰質ではなく、外側に反って襟《えり》のようになります。

時期	春〜秋、とくに梅雨明け
基物	落ち葉の上
大きさ	子嚢の横幅は1mm以下
ポイント	子嚢壁は3層で、外壁は黄色から褐色、中壁は白色、内壁は無色から虹色

葉っぱに描かれた模様

ハイイロフクロホコリ

Physarum cinereum

葉っぱに、ホワイトチョコで模様を描いたよう。写真は落ち葉ですが、しばしば芝のような生きた草にもあらわれます。

[時期] 春〜秋、とくに梅雨明け

[基物] 落ち葉、芝のような生きた草

[大きさ] 子嚢の横幅は約1mm以下

[ポイント] 子嚢は球形や筒型。子嚢壁は石灰質で白色から灰白色。石灰節は白色

黄色い毒ヘビ

ヘビフクロホコリ

Physarum serpula

鮮やかな黄色に、亀裂から見える黒い胞子と白いつぶつぶ（石灰質）。黄色と黒の色合いは、毒ヘビ、危険！　と注意をうながされているよう。まれに出現します。

[時期] おもに夏

[基物] 落ち葉の上

[大きさ] 子嚢の横幅は約1mm以下

[ポイント] 「ハイイロフクロホコリ」と似ているが、子嚢が黄色い

スイートコーンの粒

ヨリソイフクロホコリ

Physarum contextum

スイートコーンを落ち葉の上で食べ散らかしたよう。コーンの粒のような子嚢壁が取れると、黒い胞子がいっぱいです。白い部分は石灰質でできています。

[時期] 春〜秋

[基物] 落ち葉の上

[大きさ] 高さ1mm以下。子嚢はふつう直径約1mm以下

[ポイント] 黄色い子嚢が密生し、ときには境目がない

グミのそっくりさん

アカフクロホコリ

Physarum lateritium

グミ（グミ科）の実とそっくりです。表面のざらついた感じや、少し長細いところも似ています。コケの上もお気に入りの場所。たまにしか見つかりません。

[時期] 春〜秋

[基物] 落ち葉、腐木、コケの上

[大きさ] 子嚢の直径1mm以下

[ポイント] 子嚢は赤色系で、あまり長い円筒形にならない

カタホコリのなかま

カタホコリのなかまは、アイドルのあの子から、スターなあいつまで、まるで変形菌スター名鑑。衣装（子嚢壁）に星、石灰のスパンコール（結晶や粒）をつけたり、プリズムになって光り輝いたりします。細毛体に石灰がなく、胞子は暗い色をしています。

変形菌界のアイドル

ジクホコリ

Diachea leucopodia

変形菌関連本のグラビアを飾るアイドル。名前にある軸（柄）の白さが際立ち、かつ虹色に輝く子嚢のグラデーションが魅力。ときどき大発生します。変形体は白色。

［時期］春～秋

［基物］落ち葉、生きた植物、岩

［大きさ］高さ約1～2mm。子嚢の直径約1mm以下

［ポイント］子嚢はふつう円筒形でカラフル。柄は石灰質で白い

ぼく、変形菌トーマス！

トーマスジクホコリ

Diachea thomasii

子嚢が金色や青銅色でキラキラなのは、薄く透明な子嚢壁と内部の暗褐色の胞子が鏡のようになるため。まれに出現します。

［時期］夏

［基物］落ち葉の上

［大きさ］高さ1mm前後。子嚢の直径約1mmまで

［ポイント］子嚢はほぼ球形で黄金色。柄や変形膜は橙色

ホネ一族① 似てない双子の兄弟

ホネホコリ

Diderma effusum

ホネ一族は歌舞伎一家。いつもおしろいを塗っています。このおしろいは沈着した石灰です。兄は丸いかたち。柄はないのですが、胞子が飛ぶと軸柱《じくちゅう》（子嚢の中にある軸）が見えてきます（写真右下）。変形体は白色です。

時期	春〜秋
基物	落ち葉の上
大きさ	高さ1mm以下。長さ約6cmまで。幅2mm以下
ポイント	柄はなく、白い子嚢は球形、枕形、網目状など。表皮は2層。細毛体は無色

こちらは平べったい弟。少し湿っていて、青っぽい色をしています。あながあいたような体形は、非常に個性的です。表皮は2層になっていて、外側は石灰質で厚く、内側は薄い膜です。

ホネ一族② 一族を支える祖母

シワホネホコリ

Diderma rugosum

多面体（しわくちゃ）の頭に、日本舞踊で鳴らしたピンとした背筋。ホネ一族だけあり石灰のおしろいは健在です。たまにしか姿を拝めません。

[時期] 春～秋

[基物] 落ち葉、腐木、生木の樹皮上

[大きさ] 高さ約1.5mm以下。子嚢の直径0.5mm程度

[ポイント] 子嚢は多面体で、白色からグレー。柄は黒色

ホネ一族③ 一族一の変わり者

ダイダイホネホコリ

Diderma aurantiacum

ホネ一族なのに橙色。子嚢壁が裂けて反り返ります。まるで薄皮まんじゅうの皮がはがれて餡《あん》が見えているような。なかなか遭遇することはできません。

[時期] おもに秋

[基物] 腐木上

[大きさ] 高さ1.5mm程度。子嚢の直径0.5mm程度

[ポイント] 子嚢は橙色。子嚢壁は裂けて反り返る

ホネー族④　親しみやすい父

ナバホネホコリ

Diderma hemisphaericum

キノコのようなかたちをしたホネー族の父。和名の「ナバ」はキノコの昔の呼び名です。いろいろな場所にいるので親しみやすさを感じます。やはりホネー族、おしろいは欠かせません。

[時期] 春〜秋

[基物] ワラ、落ち葉、たまに生きた草など

[大きさ] 高さ約1.5mmまで。子嚢の直径約2mmまで

[ポイント] 子嚢は円盤状で、白色。柄も白色で縦じわがある

ホネー族⑤　ほかの変形菌に慕われる母

キノウエホネホコリ

Diderma chondrioderma

ホネー族の母は生きた木では目立っています。この方のおかげでほかの変形菌に出会えることも。まるで母を慕って変形菌が集まっているよう。

[時期] 春〜秋、とくに梅雨明け

[基物] 生木の樹皮上

[大きさ] 長さふつう約3mmまで（それ以上になることもある）

[ポイント] 子嚢はまんじゅう型や平たいかたち。生きた木の樹皮上にいる

変形菌界のスター

キラボシカタホコリ

Didymium leoninum

名前からしてきらめく星。この写真は、枯れ木の樹皮上です。体（柄）が太く、かっぷくのよい感じ。スターはたまに見かけることができます。

時期	春〜秋、とくに梅雨明け
基物	落ち葉や枝の上
大きさ	高さ約1.5mmまで。子嚢の直径1mm以下（高さの半分程度）
ポイント	子嚢と柄に黄色や白い星形の石灰質が付着

見た目だってスターはがっかりさせません。見てくださいよ、この衣装。石灰でできた黄色や白の星形の結晶をちりばめた「きらきらスーツ」に身を包んでいます。やはりスターはオーラがちがいます。

ホワイトスターをつけたプリンセス

ヒメカタホコリ

Didymium nigripes

変形菌のもうひとりのお姫様「ヒメカタちゃん」。白色で星形の石灰の結晶を身につけ、ヒノキの実の上にいるところです。似ている種がいくつもあります。

[時期] 春〜秋、とくに梅雨明け

[基物] 落ち葉、ワラなどの上

[大きさ] 高さ約2mmまで。子嚢の直径0.5mm前後

[ポイント] 子嚢に白い星形の石灰質が付着。柄は細長くてその下部は黒い

変形菌界のゴマちゃん

ゴマシオカタホコリ

Didymium iridis

「ゴマちゃん」はアザラシ界だけに限りません。頭の塩っぽい部分は、星のかたちの石灰の結晶です。柄の短い「コカタホコリ」もよく見かけます。

[時期] おもに夏

[基物] 落ち葉、腐木、コケ、草食動物の糞などの上

[大きさ] 高さ約1.5mmまで。子嚢の直径0.5mm前後（高さの1/3以下）

[ポイント] 子嚢は球形で白い星型の石灰質が付着。柄は黄から黄褐色で縦溝がある

エレガントな彫金アクセサリー

ヘビカタホコリ

Didymium serpula

金属に網状の模様を透かし彫りで施したようなかたちは、落ち葉をエレガントに飾るアクセサリーのよう。たまにしかお目にかかれません。

[時期] 春〜秋

[基物] 落ち葉、生きた草の上

[大きさ] 厚さはごく薄い。長さはふつう数mmで、最大約5cmまで

[ポイント] 子嚢は薄くしばしば網状で、白色から暗い灰色または真珠光沢

ラグジュアリーな宝飾品

アナアキカタホコリ

Didymium perforatum

落ち葉の上から発見されるラグジュアリー感あふれる宝飾品。希少です。青や紫色に光り輝き、表面には小さな星（石灰の結晶）をちりばめています。

[時期] 春〜秋、とくに梅雨明け

[基物] 広葉樹の落ち葉などの上

[大きさ] 厚さは非常に薄い。長さ約3cmまで

[ポイント] 子嚢は網状で青みを帯びた色、しばしば虹色光沢がある

ムラサキホコリのなかま

ムラサキホコリのなかまは、モジホコリのなかまと同じく200種程度が知られている大きなグループです。細毛体は樹状や網状で、石灰は基本的になく、胞子は暗い色です。落ち葉や倒木の中でえさを食べて成長している段階の変形体は透明です。

やっぱりマツが好き♡

スミホコリ属の一種

Amaurochaete sp.

スミホコリ属の変形菌は、マツなどの針葉樹のあまり腐朽が進んでいない枯れ木の上に子実体をつくります。表皮がもろく、墨のように真っ黒な胞子をまき散らします。

時期	春〜初夏
基物	枯れたばかりか新しい切り株の針葉樹（とくにマツ）上
大きさ	直径約1〜10cm
ポイント	子嚢は半球形や枕状で、表皮が壊れやすい。褐色または黒色の胞子を飛ばす

このスミホコリ属の一種（写真上下ともに）は、「マツノスミホコリ」か「クロスミホコリ」のどちらかです。これらをきちんと見わけるには、外見だけでなく、顕微鏡で細毛体を調べなければなりません。

森の黒真珠

ツヤエリホコリ

Collaria arcyrionema

神秘的な銀色がかった灰色の、真珠のような光沢のある子嚢が繊細な柄にのっています。腐った木の上で輝いています。

時期	春〜秋、とくに梅雨明け
基物	腐木上
大きさ	高さ約2.5mmまで。子嚢の直径1mm以下（高さの1/4〜1/3）
ポイント	子嚢壁の一部は柄に襟のように残る。細毛体は密な網状で丈夫。柄は細く黒色

こちらはめずらしい金色タイプ。紫がかったこげ茶色の子実体は、金色の表皮がはがれてしまったものです。銀タイプは真珠のようなくすんだ光沢でしたが、金タイプはしっかりした輝きがあります。

金さん・瑠璃《るり》さん

キンルリホコリ

Lamproderma scintillans

双子の「金さん・瑠璃さん」です。どちらもまばゆい金属光沢があります。色はちがっても、ほかのいろいろな特徴は同じです。

時期	春〜秋
基物	落ち葉、ワラなどの上
大きさ	高さ1〜2mm程度。子嚢の直径0.5mm以下
ポイント	表皮は金色から青紫色で金属光沢。ルリホコリのなかまでは、軸柱先端から均質な細毛体が出る

地面に落ちたばかりのヒノキの葉に発生した「瑠璃さん」です。「ルリ」がつく変形菌は、春に根雪のまわりか、秋ごろ倒木に発生することが多いのですが、「キンルリホコリ」はちがいます。夏によく見つかります。

だれもが虜《とりこ》に！

ルリホコリ

Lamproderma columbinum

光沢のある瑠璃色の子嚢。一目見たとたん、この魅力にとり憑《つ》かれます。中には青、緑、または黄銅色の金属光沢のものもいます。比較的標高の高い場所にあらわれます。変形体は白色です。

時期	おもに秋
基物	針葉樹の腐木上
大きさ	高さ2〜3mm程度。子嚢の直径約1mmまで
ポイント	瑠璃色で光沢があり、柄は長くてしっかりしている

惑星のようなキラキラ感

タマゴルリホコリ

Lamproderma ovoideum

好雪性変形菌です。マーブル状に見える色、ころんとしたかたち。まるで惑星のようです。似たものが何種類もあるため、安易に同定しないように。

[時期] 春の雪解けのころ

[基物] 枯れ草の上

[大きさ] 高さ約2mmまで。子嚢の直径約1mm前後

[ポイント] 子嚢は卵形や卵を逆さにしたかたち。細毛体は暗褐色で、連絡して網をつくる

セロファンに包んだ貴重な綿毛

シロイトルリホコリ

Lamproderma album

胞子が飛んでしまうと、白い糸のような細毛体が透明の膜越しに見えます。その姿は、セロファンに包まれた綿毛みたいです。こちらも好雪性変形菌。

[時期] 春の雪解けのころ

[基物] 枯れ草、枯れ枝の上

[大きさ] 高さ約1～2mm。子嚢の直径約1mm程度

[ポイント] 子嚢は光沢のある青銅色。表皮は胞子が飛んでなくなっても残りやすい。細毛体は白い

もさもさモンスター

ヤリミダレホコリ

Stemonaria longa

長いヒモが束になったかたちで、もさもさした怪物みたいです。基物にぶら下がるようにしておどかします。変形菌としては大きな種で、たまに出没します。変形体は黄色。

時期	おもに夏
基物	広葉樹の腐木上
大きさ	長さ約5cmまで
ポイント	子実体は長すぎて立ち上がれず、垂れ下がるか横に倒れる

木に生えた髪の毛

ヤリカミノケホコリ

Comatricha nigra

柄が長くて黒いので髪の毛のよう。子嚢は球形が多いですが、楕円形のものもあります。後者の場合、槍《やり》に見えるかも。変形体は半透明な白色です。

[時期]	春〜秋
[基物]	腐木上
[大きさ]	高さ2〜9mm程度。柄の長さは子嚢の直径の5〜6倍から、それ以上
[ポイント]	子嚢は黒色から暗褐色。柄は極端に長くて黒色

棒つきのエアリーチョコ

アカカミノケホコリ

Comatricha pulchella

見た目はエアリーチョコ。「ヤリカミノケホコリ」と比べると、足（柄）が短いのが特徴です。学名の*pulchella*は「美しくて小さい」という意味です。

[時期]	春〜秋
[基物]	おもに落ち葉、まれに腐木、生きた草などの上
[大きさ]	高さ約1.5mmまで。柄は高さの1/3〜1/2
[ポイント]	子嚢はふつうやや細長い卵形で、褐色から赤褐色

森にあらわれたイソギンチャク

サビムラサキホコリ

Stemonitis axifera

イソギンチャクそっくり。柄が黒く光沢があり、子嚢は赤茶けた鉄さびのような色。より小さい「スミスムラサキホコリ」もよく見かけます。

[時期] 春〜秋

[基物] 腐木上

[大きさ] 高さ約2cmまで。柄の長さは高さの半分まで

[ポイント] 子実体は束状に発生。子嚢はふつう鉄さび色

森の行く末を占う!?

ムラサキホコリ

Stemonitis fusca

子嚢は暗褐色をしています。ムラサキホコリは森の行く末を占っているのかもしれません。なぜなら、易占いの道具(筮竹《ぜいちく》)に似ているからです。変形体は白色をしています。

[時期] 春〜秋

[基物] 腐木上

[大きさ] 高さ約2cmまで。柄の長さは高さの1/4〜1/2

[ポイント] 子実体は束状に発生。子嚢は暗褐色

シックな装いの変形菌コーラス隊

ダテコムラサキホコリ

Stemonitopsis typhina

コーラス隊は、変形膜とつながった半透明から銀色のスカート（被膜《ひまく》）をはいています。これが特徴的で、未熟子実体でもこの種と判断できます（→p.19）。

［時期］春〜秋

［基物］腐木上

［大きさ］高さ約5mmまで。柄の長さは高さの半分まで

［ポイント］子嚢は銀色または灰色で、金属光沢がある

ムラサキホコリの子ども？

コムラサキホコリ

Stemonitopsis hyperopta

前出の「ムラサキホコリ」の子どものよう。子嚢は藤色やピンクがかった灰色から褐色です。胞子には網目模様があります。

［時期］春〜秋

［基物］腐木上

［大きさ］高さ約5mmまで。柄の長さは高さの1/4〜1/2

［ポイント］子実体は小さい。子嚢は藤色やピンクがかった色

COLUMN ③

2度のイグ・ノーベル賞を受賞した変形菌のはなし

変形菌（粘菌）の研究がイグ・ノーベル賞を2度も受賞しました。イグ・ノーベル賞とは、「人びとを笑わせ、そして考えさせる研究」を対象に、名誉ある独創的な研究や、不名誉なめずらしい社会的事件などを起こした個人や団体に贈られる賞です。2008年には、変形菌が迷路を最短ルートで解く能力に関する研究に対して「認知科学賞」が、2010年には、輸送効率に優れた最適なネットワークを設計する研究に対して「交通計画賞」が贈られました。どちらの研究にも携わったのは、公立はこだて未来大学の中垣俊之博士（現在、北海道大学電子科学研究所教授）らの研究チームです。

研究に用いた変形菌は「モジホコリ」の変形体です。黄色い体を大きくしたり、小さくしたりしながら一生懸命考えている様子が目に浮かびます。

「迷路」の研究は、次のように行われ、結果が出ました。

① 約3mm四方に切った変形体を30個、迷路のあちこちに置きます。

② すると数時間後、あちこちに置いた変形体がくっついて広がり、一つの大きな変形体となって迷路全体を覆い尽くしました。

③ 迷路のスタート地点とゴール地点にえさとなるオートミールを置きます。

④ 変形体は、まず迷路の行き止まりから引き揚げていきました。

⑤ 次に、遠まわりとなる路から徐々に体を細くしていき、完全に引き揚げ、最終的に最短ルート部分のみに変形体はとどまりました。

なぜ変形体は、迷路を解けたのでしょうか？ 変形体を、流れる量によって太さが変わる管と考えます。大量の水を流すと管はより太くなり、さらに水量が増します。反対に水量が減ると管は細くなり、流れが小さくなって最後には管がなくなってしまうのです。そうすると、大量の水が流れる部分（最短ルート）のみが浮き上がります。

最短ルートだけに広がっていた変形体が集まると、えさを大量にかつ早く食べることができ、また分裂せず一体

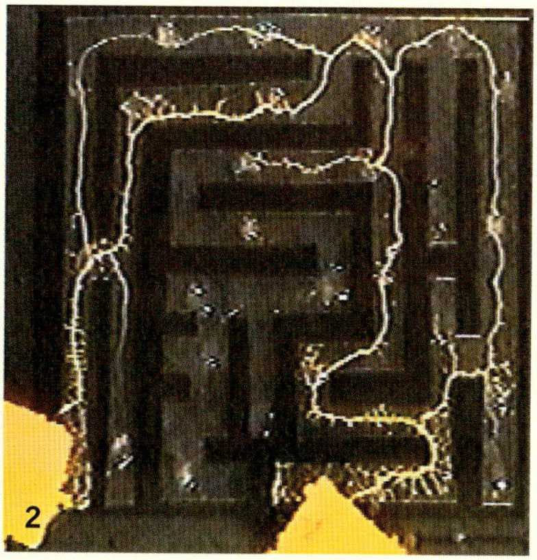

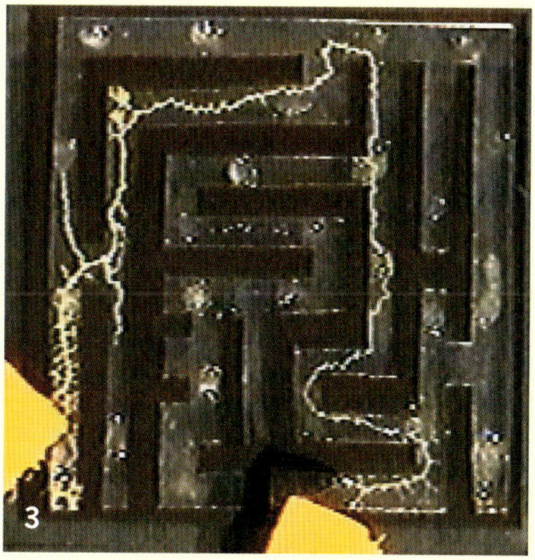

1. 約3 mm四方に切った変形体を30個迷路のあちこちに置くと、数時間後、一つの大きな変形体となって迷路全体を覆い尽くしました。

2. 迷路のスタート地点とゴール地点にえさとなるオートミールを置くと、まず迷路の行き止まりから、次に遠まわりとなる路から引き揚げていきます。

3. 最終的には最短距離にだけ変形体が残りました。えらいぞ！　変形菌。

画像提供：中垣俊之博士

COLUMN ③

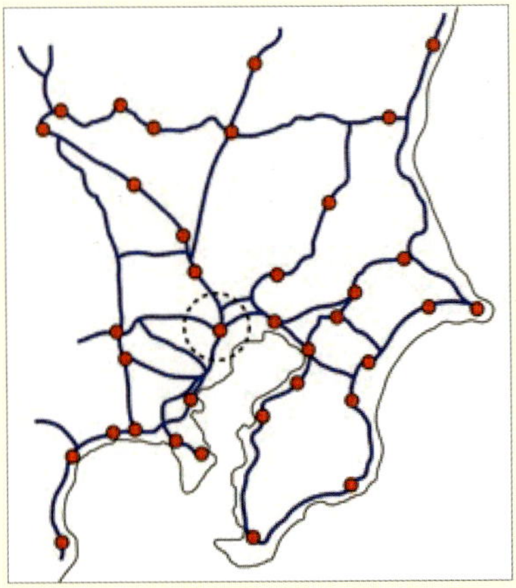

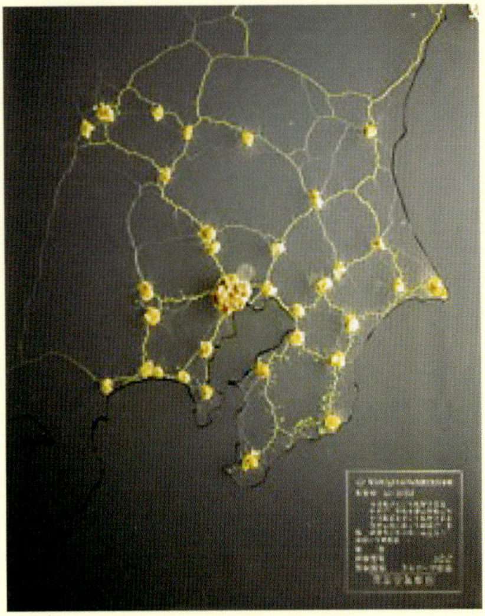

関東主要鉄道路線図（左）と変形体が描いた関東主要鉄道路線図（右）。ほぼ同じようになりました。

画像提供：高木清二博士

でいられます。このことから、変形体にはうまく最適化する能力（知性）があるということがわかったのです。

輸送効率に優れた最適なネットワークを設計する研究の中身は、変形体に関東地方のJRの鉄道路線図を描かせてみるというものです。

① JRの路線上にあるおもな街にえさ（オートミール）を置き、変形体を移植させます。

② 変形体はえさを求めて広がっていきます。

③ 26時間後、えさをつなぐ鉄道網のようなかたちをつくりました。これは実際の関東地方主要鉄道路線図とそっくりという結果に。

これらの二つの研究は、交通網や上下水道、カーナビなどといった社会基盤の設計に応用できるそうです。

変形菌は単細胞生物ですが、単細胞ながらもかしこい生きものだということが証明されたことになります。

4 楽しむ

おたのしみ的変形菌《へんけいきん》

サラクモノスホコリ

どっちが本物!? 変形菌

変形菌にそっくりなものってたくさんあります。まずは写真のみを見て、次にヒントを頼りに考えてみてください。答えはp.116に。

{ どっち? 1 }

キヘビコホコリとプレッツェル

かたちが少しちがいますね。どちらもおいしそうに見えます。片方には結晶のようなものがついています。

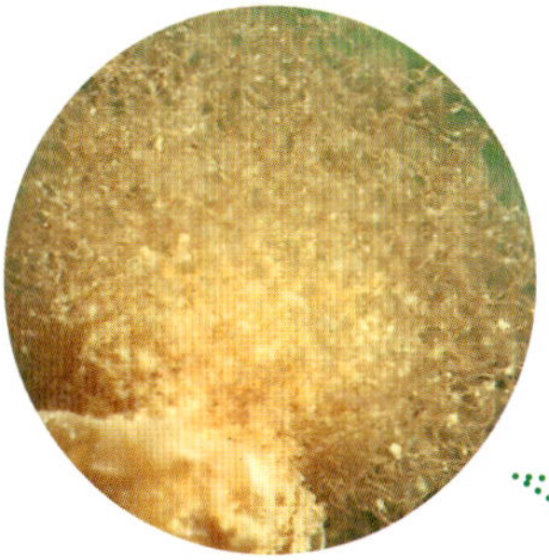

{ どっち? 2 }

ホソエノヌカホコリと蚕糸

ふわふわ感は右写真のほうがありますね。左写真はやや固そうでチリチリしています。

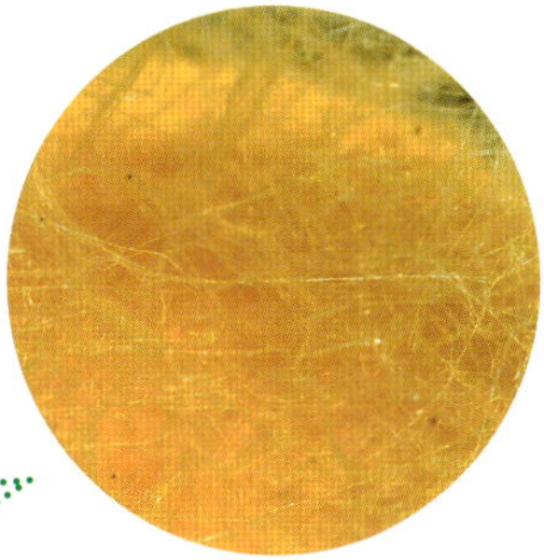

{ どっち? 3 }

ブドウフウセンホコリとブルーベリー

これはほとんど見分けがつきませんね。ちがいはおへそのあるなし。あるほうがもちろんあれですよ!

{ どっち？ 4 }

マンジュウドロホコリと ドイツパン

表面の白いお化粧ぐあいまでそっくりです。ヒントは亀裂部分。よく見ればわかります。

{ どっち？ 5 }

ヒョウタンケホコリと なめこ

右写真は頭の部分が大きくて、柄《え》に比べて色が濃いですね。左写真は全体的に色が均一です。

{ どっち？ 6 }

フサホコリと トリュフチョコ

ころころとした丸さがそっくり！　右写真には、表面に粉のようなものがまとわりついています。

{ どっち？ 7 }

メダマホコリと カエルのたまご

どちらもゼリー状の膜に包まれています。その中のかたまりの色にちがいがありますが……。

{ どっち？ 8 }

トゲヒモホコリと ドーナツ

色の濃さがちがいますね。また、右写真には白い結晶みたいなものがたくさんついています。

答えはこっち！

正解は、すべて左側写真が変形菌！
難しい問題もクリアしたあなたは変形菌の細部までわかっていますね！

こっち！
1

あながたくさんあるのがキヘビコホコリ。ちなみに、結晶が……というのは、プレッツェルについている塩でした。

こっち！
2

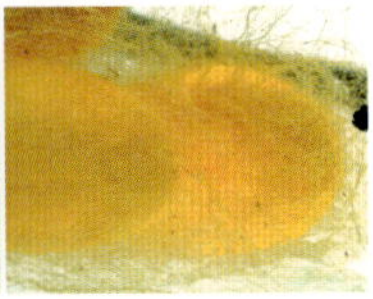

ふわふわした部分が固そうでちりちりしているのがホソエノヌカホコリ。手で触ると崩れてしまうので、肌触りはわかりません。

こっち！
3

木肌にいるのがわかると、こっちがブドウフウセンホコリだってわかりますね。おへそはブルーベリーのめしべのつけ根部分です。

こっち！
4

亀裂部分から胞子《ほうし》がのぞいているのがマンジュウドロホコリ。ドイツパンの亀裂からはパン生地の気泡が見えています。

こっち！
5

まばらに集合しているのがヒョウタンケホコリの未熟《みじゅく》子《し》実体《じったい》。なめこは房《ふさ》になっています。軸の色が白っぽいのがなめこです。

こっち！
6

粉まみれになっていないのがフサホコリです。トリュフチョコを胞子まみれの変形菌と間違えた人はいませんか？

こっち！
7

中身が黒っぽいのがメダマホコリの未熟子実体。この部分は胞子のかたまりです。ちなみにカエルのたまごの白い部分は胚《はい》。

こっち！
8

濃い色のほうがトゲヒモホコリです。色だけでは難しかったかもしれません。白い結晶は砂糖。もちろんそっちがドーナツです。

変形菌を楽しむひとたちに聞きました！

変形菌の研究に携わる研究者から観察会ではまった方、はたまた小学生まで、どのように親しんでいるのか聞いてみました。

プロフィール

Q 1　変形菌との出会いは？
Q 2　変形菌の魅力はなんでしょう？
Q 3　好きな変形菌はいますか？
Q 4　変形菌との印象的なエピソードがあれば！
Q 5　観察会のおとも、変形菌おすすめスポットを教えてください。

松本《まつもと》 淳《じゅん》さん

北陸の一人嵐《ひとりあらし》、またの名をゴッドハンド。目に頼らずとも、ぴたりと触ればぬりゅっと出てくる(変形菌が)。むやみにいろいろなところに触らないようにしている自制の利いた中年粘菌《ねんきん》使い。越前町立福井総合植物園園長。

Q 1　中学3年生のころ、理科の参考書で存在を知り、その後科学雑誌の特集記事を読んで興味を持ち、高校1年の春に探しに行ってヘビヌカホコリ、ダテコムラサキホコリなどを見たのがはじまり。

Q 2　探す楽しみや独特のかたちや色合い。季節や場所を変えれば、ちがう種類が見つかり、小さな生きものに気づくきっかけになる。変形菌のつくりや一生から、身近な生きものとのちがいや関連も見えてくること。

Q 4　高校生のころ、飼い犬・ブウを連れて変形菌探しに。そのとき、ブウが吠え出しマムシを発見。同時に、落ち葉の上に白い子実体《しじつたい》(シロエノカタホコリ)も発見し、標本に。ときは経ち大学院生のころ、変形菌の分類の際にシロエノカタホコリに似ている今まで区別されてこなかった種類に気づく。同じころ、ブウが他界。そのこともあり、あの白い子実体の標本を掘り出し観察すると、注目していたものだった！さらに研究、その標本も引用し、1999年カタホコリ属の新種《しんしゅ》として発表。ブウは賢い奴だったので、マムシにではなく白い子実体に気づいて吠えていたのかもしれない。だとしたら、標本の採集者に名前を入れてやるべきだったか……。

Q 5　**観察会のおとも**：道具の減量とコストダウンに腐心しています。
変形菌おすすめスポット：これからはじめる人は、初夏、湿度の保たれた林の倒木《とうぼく》や落ち葉。紅葉が終わるころの大きな倒木、雪深い地域では春の根雪のまわりが◎。

萩原博光《はぎわらひろみつ》さん

1945年、群馬県生まれ。2008年に国立科学博物館を退職し、第2の人生として65歳となった2010年より10年計画でアフリカ思想について調べている。現在、国立科学博物館名誉研究員。

Q1　大学生のとき、札幌の円山公園で切り株の上にキノコに似て非なるものを見つけ、強い印象を受ける。国立科学博物館に就職して変形菌採集をするようになり、あの疑似キノコが変形菌だったとほぼ確信した。

Q2　子実体を探すのが大変、形態的に美しい、そして変形体《へんけいたい》がほかの生きものと比べてユニーク（原形質流動《げんけいしつりゅうどう》、移動、変身など）。

Q3　原生粘菌類《げんせいねんきんるい》だが、ツノホコリのなかま。汚れなき美しさを持ち、夏の変形菌シーズンの到来を告げる種類だから。

Q4　1973年の夏、重い荷物を担ぎ寸又峡《すまたきょう》から光岳《てかりだけ》への急な道を登っている途中、倒木の上にびっしりと密生して、暗赤褐色に妖しく金属光沢を放つハチノスケホコリを発見。疲れを忘れ、夢中で採集した。

Q5　**観察会のおとも**：中近両用メガネは変形菌探しの必需品。
変形菌おすすめスポット：アカマツの太い切り株（新しい切り株にはスミホコリのなかまが、腐るにつれてさまざまな種類が発生する）。

今村知世子《いまむらちよこ》さん

埼玉県産の1955年物。幼いときから動くものが好きで、ポケットにはいつも“飴と虫”を入れて成長。2001年から科学系博物館のボランティアをはじめ、変形菌の存在を広く知らしめる活動をして現在に至る。

Q1　1999年に国立科学博物館を訪れた際、顕微鏡で変形菌を観察。肉眼での見た目はまるで小汚いカビだったが、顕微鏡で見たジクホコリの美麗な姿や変形体の原形質流動に感動！

Q2　とてもふしぎな“生きもの”が身近に。自然をつくる縁の下の力持ちのよう。出会ったときの感動。姿かたちがバラエティーに富む。飼育、観察の楽しさ。あの手この手でまだ知らない人に伝える楽しみなど、いろいろ。

Q3　シロジクキモジホコリ。野外（自宅の庭）ではじめて見つけた変形菌で特別な思い入れがある。白い柄に可憐な黄色い頭がなんとも愛らしい！

Q4　アカモジホコリの深紅《しんく》の変形体を飼育していたとき、世話を怠ったら、鮮やかな黄色い変形体に……。なんと変色したのだった！　機嫌を損ねると“顔色が悪くなる”ことを知る（2日で深紅に戻ったが）。

伊沢正名《いざわまさな》さん

1950年、茨城県生まれ。元・自然（菌類《きんるい》・隠花植物）写真家。現在は糞土師《ふんどし》を名乗り「ウンコはごちそう」「ウンコになって考える」など、生態系にのっとった本物の循環社会づくりを目指している。

Q1　1974年の夏。林の中で偶然出会い、ふしぎな魅力を感じて即写真に撮った。

Q2　人間の常識を超えた、動物とも菌類ともつかない生物で、自然の奥深さを教えてくれる。そして、美しい。

Q3　全部好きだがあえて一つだけ挙げるなら、タチフンホコリ。「立ち糞誇り」という名前がいい！

Q4　UFO研究会ではじめて変形菌という生きものがいることを知る。本格的に変形菌の写真が撮れるようになったのは、変形菌研究者・萩原博光さんとの出会いからだが、そのきっかけは連れションだった。

Q5　**観察会のおとも**：とくになし
変形菌おすすめスポット：とくにないが、変形菌への思いを強く持つこと。

矢野倫子《やのみちこ》さん

変形菌大好き人。現在、神奈川県立生命の星・地球博物館菌類外来研究員、菌類ボランティア。博物館主催の菌類観察会では「変形菌」説明担当、友の会では夏休みに変形菌ミニ講座を企画、開催している。

Q1　1997〜1998年に行われた国立科学博物館の企画展『変形菌の世界』を家族で観たのが最初の出会いです。

Q2　変形体は今日ここにいても、明日はいるとは限らない「一期一会」があります。私を夢中にさせてくれる「森の妖精」です。種によって折りたたまれた細毛体《さいもうたい》がきれいに子嚢《しのう》に入っていたり、変形体から子実体になっていくときの色やかたちの変化など、ふしぎで魅力的。

Q3　キララホコリ。山の高いところで出会ったことがあり、雲母《うんも》のような白色の鱗片《りんぺん》を飾りに、ひっそりと苔の中にいるおしゃれな変形菌という感じです。

Q4　座り込んで採集していると「何をしているのですか？」とよく聞かれます。「粘菌を探しています」と答えると、「えっ、金？」、「年金？」、「おもしろそう！」といろいろな反応やお話が楽しいです。

Q5　**観察会のおとも**：採集７つ道具には自分なりのこだわりはあります。
変形菌おすすめスポット：里山のよく湿った倒木。

阿《あ》部《べ》信《のぶ》子《こ》さん

山形県生まれ。生きもの大好き！　最近まではインドア派だったが、もとは海山川で真っ黒に日焼けするまで遊んだ野生児。趣味は、週末の変形菌探しとネイルアートのデザインを考えること。

Q1　高校の生物の教科書（細胞性粘菌《さいぼうせいねんきん》）で。

Q2　ふしぎな生態、子実体の色やかたち、探す楽しさ！

Q3　一つ目は、タマツノホコリ（原生粘菌ですが）。見た目がレースのボンボンのようできれい。二つ目は、ルリホコリ。観察会以外ではじめて自分で見つけた変形菌だから。

Q5　**観察会のおとも**：キャラメル、ブラウニー（外箱は変形菌持ち帰り用、中身はおやつに）。ウエットティッシュ、ジッパーつきポリ袋はあると便利。クマ除けの鈴。
変形菌おすすめスポット：クマも出る!?　森林公園。倒木がたくさんあり、探しやすい。古い木製の柵やベンチも要チェックポイント。

増《ます》井《い》真《ま》那《な》さん

2001年生まれの12歳。変形体をにおいで探し、長期飼育が得意。「変形体の動きと考え」を5年間研究し、第53回自然科学観察コンクール文部科学大臣賞を受賞（2012年度）。目標は、変形体とお話しできるようになること。

Q1　5歳のときにテレビ番組で変形体が動いているのを見て、すごくきれいでふしぎな生きものだと思いました。それから野生の変形体を探して飼うようになり、現在（2013年）では5種類育てていて、それぞれに名前をつけています。たとえば、イタモジホコリはノビスカちゃん、アカモジホコリはチミニーちゃんというふうに。

Q2　変形菌の変形体は、みんな見かけは似ているけど、動きや性格、考え方がそれぞれちがいます。だから、いっしょに暮らしていて、とてもかわいいし、おもしろいです。

Q3　アオウツボホコリ。超レアで、はじめて自分で見つけたとき、緑っぽい空色がきれいすぎて、体がふるえちゃいました。アカモジホコリもレアな変形体で、なかなか育たないけど、育ち出すと赤い血管みたいな脈が大きく広がって、すっごくきれいです。弱そうに見えて、実は粘り強いところも好きです。

Q4　うちのゲッケイジュにキクラゲが生えて、次の日ブドウフウセンホコリがそれを食べて子実体になっていました。そのとき、「ついに変形菌の神様がうちにおりてきてくれた！」と思いました。
めずらしいチョウチンホコリの変形体を見つけてびっくり、長期飼育できてまたびっくり、親から第2、第3世代（子と孫）をつくるのに成功して最高にびっくり！

眞《ま》鍋《なべ》雅《まさ》彦《ひこ》さん

山形県立自然博物園勤務。日本社団法人山岳ガイド。

Q1　観察会を開催するということで、2010年秋の打ち合わせではじめて変形菌の存在を知り、はじめて標本を見せてもらった。

Q2　自然界でひっそりと暮らしているが、子孫繁栄のために急激な変化を遂げ劇的に色彩を変化させる変身ぶりはドラマチックで、種の多さも含めて生命の神秘に魅力を感じる。

Q3　ツヤエリホコリ。黒や銀色に輝く様子は、まさに森の宝石といえる。

Q4　採集に慣れていないころに自宅近くの里山にはじめて出かけ、歩き出して1分程で見つけた変形菌がハチノスケホコリ。フタが開いて赤い細毛体が飛び出している姿に驚いた思い出があり、後に調べてハチノスというネーミングがぴったりで気に入った。

吉《よし》橋《はし》佑《ゆう》馬《ま》さん

兵庫県立三田祥雲館高等学校2年生（2014年3月現在）。

Q1　小学校3年生のときに、福音館書店の「たくさんのふしぎ」『変形菌な人びと』を読んで。

Q2　謎が絶えないことや、身近な森の中でしゃがんだりすると見つけることができること。

Q3　モジホコリ。育てやすいことや、子実体もうまく形成することができたら美しいから。

高《たか》橋《はし》和《かず》成《なり》さん

西部のkumakusu、ナンバー3。高校教員。

Q1　大学4年生、卒論研究で。

Q2　生態的な、ふしぎさ、未知であること。分解者《ぶんかいしゃ》をえさとしている。

Q3　*Diderma takahashii*。幻の粘菌だから。

Q4　Takahashiの名前がついた新種の粘菌が幻のごとく、数年で消えたこと（シミホネホコリ *Diderma darjeelingense* の変異型であった、と判明）。

Q5　**観察会のおとも**：スキットル
変形菌おすすめスポット：松枯れ林

変形菌 ブックレビュー

もっと変形菌のことが知りたくなったら、とりあえず本を読んでみませんか？　比較的入手しやすい変形菌の本を集めてみました。

1

2

3

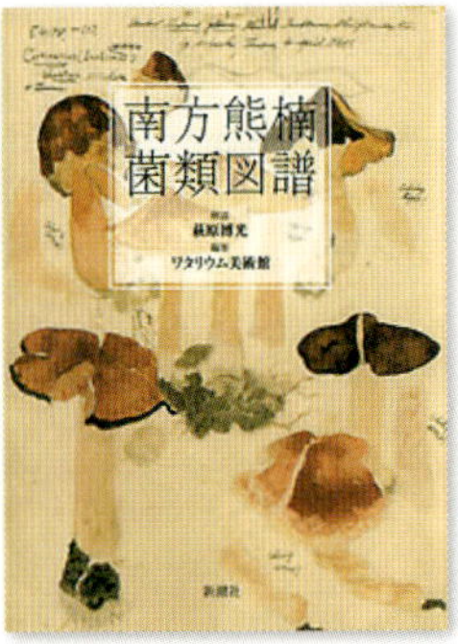

4

5

1　『日本変形菌類図鑑』 解説／萩原博光・山本幸憲　写真／伊沢正名 （平凡社）

ザ・変形菌の教科書

変形菌好きならだれもが持っている「教科書」的存在。解説文章がやさしいのに加え、ところどころに萩原、山本両先生による変形菌とのエピソードや思いが垣間見えます。いろいろな種類の変形菌写真が見られることも魅力です。より詳しくなりたいあなたに。

2　『粘菌──驚くべき生命力の謎』 解説／松本淳　写真／伊沢正名 （誠文堂新光社）

変形菌のグラビア本

少し大きめの本なので、観察に持って行くというよりも、おうちでじっくり派におすすめです。写真が大きく載っているので、すぐそこに変形菌たちがいる錯覚に陥ります。写真解説も詳しく書いてあるので、変形菌の様子や状況もわかりやすいですよ。

3　『南方熊楠菌類図譜』 解説／萩原博光　編集／ワタリウム美術館 （新潮社）

スケッチから感じる熊楠の気配

コラム1(→p.30)で登場した南方熊楠の菌類スケッチ本。中には、押し花ならぬ押しキノコも掲載されています。スケッチしたころの熊楠の様子を記した部分に、変形菌についての記述があります。熊楠の人柄や研究熱心さ、息づかいまでがスケッチからあふれてきます。

4　『菌類のふしぎ──形とはたらきの驚異の多様性』 編集／国立科学博物館 （東海大学出版会）

「菌」と名のつく生きものを網羅

キノコやカビ、酵母《こうぼ》をはじめとするおもな菌類に加えて、「菌」と名のつく変形菌や偽菌類も紹介されています。菌類の分類体系からさまざまな菌類の生態、研究、私たちとの関わりなどを学ぶことができる1冊。読めばほかの菌類と変形菌のちがいがわかります。

5　『粘菌──その驚くべき知性』 著者／中垣俊之 （PHPサイエンス・ワールド新書）

変形菌の知性に迫る！

コラム3(→P.110)で紹介した、「迷路を解いた変形菌」の研究で知られる中垣俊之先生の本。変形菌の好きなものや嫌いなもの、迷路を解く研究の詳細、迷路を解くことを応用したネットワーク設計など、この1冊で変形菌に知性や個性があることがわかります。

おわりに

私と変形菌との出会いは大学時代に学友に誘われて行った、国立科学博物館実験植物園でした。そこで萩原博光先生から変形菌のイロハを教えていただきました。そして、大学３年生の夏にはじめて日本変形菌研究会の合宿に参加しました。その際、小川沿いでオレンジ色の変形体を見つけ、大事に宿に持ち帰りました。どんどんかたちが変わっていくのをワクワクしながらながめました。子嚢が白い色に変わり、やがて成熟すると、金色に輝きました！あのときの感動は今も忘れられません。その変形菌は、本書にも掲載されている、トーマスジクホコリでした。そのときのワクワク感を少しでも表現できるように本書を書きました。多くの方々に変形菌に親しんでいただくきっかけになれば幸いです。

変形菌に親しむためには、やはり変形菌を探しに行ってみることです。しかし、見つけられるかどうか不安な方は、変形菌の標本が常設展示されている国立科学博物館や、博物館や植物園などで行われている観察会、講演などのイベントへ足を運ぶことをおすすめします。

最後に、この本の作成にあたり、日本変形菌研究会の会員の皆様や変形菌ファンの方々にアドバイスや激励の言葉をいただきました。この場をお借りして感謝申し上げます。

2013年4月　　川上新一

変形菌さくいん

※ページ表示の太字は、「**❸見る**　いろいろいるよ！　変形菌ずかん」に詳しい解説があるページです。

変形菌さくいん

用語さくいん

※専門的な用語の説明があるページのさくいんです。

参考文献

萩原博光・山本幸憲解説『日本変形菌類図鑑』（平凡社）
山本幸憲著『図説　日本の変形菌』（東洋書林）
松本淳解説『粘菌——驚くべき生命力の謎』（誠文堂新光社）
中垣俊之著『粘菌——その驚くべき知性』（PHPサイエンス・ワールド新書）
木原均・篠遠喜人・磯野直秀監修『近代日本生物学者小伝』（平河出版社）
松居竜五・田村義也編『南方熊楠大事典』（勉誠出版）

著者　**川上新一**（かわかみしんいち）

1966年大阪府生まれ。筑波大学大学院生命環境科学研究科博士課程修了。博士（生物科学）。専門は、細胞性粘菌および変形菌の分類・系統・進化学。現在、山形県立博物館嘱託職員（植物部門担当）。執筆した書籍に『細胞性粘菌：研究の新展開——モデル生物・創薬資源・バイオ』（阿部知顕・前田靖男編著、アイピーシー）などがある。

写真　**伊沢正名**（いざわまさな）

1950年茨城県生まれ。元・自然（菌類・隠花植物）写真家。現在は「糞土師」を名乗る。著書に『くう・ねる・のぐそ——自然に「愛」のお返しを』（山と溪谷社）、『増補改訂新版 日本のきのこ』（共著、山と溪谷社）、『カビ図鑑——野外で探す微生物の不思議』（共著、全国農村教育協会）などがある。

ブックデザイン　中村洋太（FLATROOM）
イラスト　danny
執筆協力　齊藤綾子（キャデック）
本文DTP　川上明子
編　集　岸本洋和（平凡社）、齊藤綾子（キャデック）

森のふしぎな生きもの　変形菌ずかん

2013年6月 5 日　初版第1刷発行
2014年3月15日　初版第2刷発行

著　者　川上新一
写　真　伊沢正名
発行者　石川順一
発行所　株式会社 平凡社
〒101-0051 東京都千代田区神田神保町3-29
電話　03-3230-6581（編集）　03-3230-6572（営業）
振替　00180-0-29639
印　刷　株式会社 東京印書館
製　本　大口製本印刷株式会社

ISBN978-4-582-53523-5
NDC分類番号473.3／A5判（21.0cm）／総ページ128
平凡社ホームページ http://www.heibonsha.co.jp/
乱丁・落丁本のお取り替えは直接小社読者サービス係までお送りください（送料は小社で負担します）。